80
6

Mor.

R.

D1363632

Susie Morgenstern

Les deux moitiés de l'amitié

l'école des loisirs
11, rue de Sèvres, Paris 6ᵉ

Ce roman est paru une première fois en 1983
aux Éditions de l'Amitié-G. T. Rageot.

© 2003, l'école des loisirs, Paris
Pour les extraits du Journal d'Anne Frank :
© Calmann-Lévy, 1992-2001 traduit du néerlandais par
Philippe Noble et Isabelle Rosselin-Bobulesco
Loi n° 49.956 du 16 juillet 1949 sur les publications
destinées à la jeunesse : septembre 2003
Dépôt légal : février 2005
Imprimé en France par la Société Nouvelle Firmin-Didot
au Mesnil-sur-l'Estrée (71277)

Pour Chemi Saban,
en espérant que ta génération
va faire la paix

PRÉFACE

J'ai écrit Les Deux Moitiés de l'amitié *il y a longtemps, mais encore pas si longtemps que ça. En ce temps-là, les gens ne marchaient pas dans la rue avec la main à l'oreille en criant au vent, au ciel et dans l'air. Parfois, en les regardant, en les écoutant, je pense que le monde est devenu fou. Je les vois gesticuler et parler dans cet appareil collé à un côté de la tête, incapables de se décrocher un instant de ce qu'ils appellent la «communication». Mon voisin dans l'avion a téléphoné dès qu'on a atterri. Il a dit: «Chérie, on a atterri.» Quelques minutes plus tard: «Chérie, je sors de l'avion.» Et encore devant le tapis roulant des bagages: «Chérie, j'attends ma valise.» Je ne l'ai plus suivi après, mais je suis sûre qu'il a encore téléphoné cent cin-*

quante-huit fois pour raconter chaque pas avant d'arriver chez lui... Dans les restaurants, les trains, les salles de cinéma, même les salles de classe, le téléphone sonne. Partout. Oui, on est devenu fous.

Mais quand j'ai écrit Les Deux Moitiés de l'amitié, le portable n'existait pas et tout le monde n'avait pas de téléphone à la maison. On faisait une demande à ce qui s'appelait les PTT et l'on attendait une ligne. La technique et le progrès sont allés très vite en matière de téléphonie.

Alors, mon éditeur l'a relu et m'a dit : « Peut-être faudrait-il le réécrire. Même les enfants ont des portables maintenant. Comment vont-ils comprendre cette histoire ? »

Je ne suis pas paresseuse. J'ai même rêvé de refaire ce livre. J'ai commencé à le retaper, mais j'ai vu que si je replaçais mes personnages à nos jours, il n'y avait plus d'histoire. En plus, je ne trouvais rien à changer à ma copie. Je l'aimais toujours telle quelle. Alors j'ai presque tout laissé en l'état, sauf pour une chose ou deux à la fin, et je vous l'offre ainsi.

Qu'est-ce que vous en pensez ?

1

Le téléphone gris était tranquillement posé par terre sur les tomettes ébréchées, dans l'entrée délabrée. L'appartement n'avait pas subi les effets d'une bombe ou d'un tremblement de terre, mais il donnait l'impression qu'un processus d'érosion lente et de négligence à long terme l'avait détérioré.

C'était peut-être pour compenser l'état des lieux que le propriétaire avait laissé cet appareil merveilleux qui meublait immédiatement l'espace d'une promesse. À côté du téléphone, il y avait un livre de grand format qui s'appelait *Annuaire officiel des abonnés au téléphone*.

Salah s'assit par terre en laissant tomber le balai, le seau et la serpillière qu'il avait emportés pour commencer le nettoyage et se mit à lire :

URGENCES

Pompiers 18
Police secours 17
Samu 15

« Avec ça, on est entre de bonnes mains les copains », pensa-t-il.

Il parcourut de haut en bas toutes les pages bleues et puis toutes les pages roses, et même s'il doutait d'avoir jamais à téléphoner un jour aux Samoa-Occidentales (indicatif 684), aux îles Fidji (679), au Togo (228) ou en Guinée-Équatoriale (240), il les lut quand même ; il était hypnotisé par chaque lettre, chaque mot, chaque chiffre.

Il n'avait pratiquement jamais lu un livre en entier, bien qu'élève sérieux d'après sa maîtresse, mais celui-ci l'intriguait. Quel puits de science ! En l'étudiant, il pouvait connaître tous les noms et adresses des gens qui vivaient avec lui, sous le même ciel gris de cette ville plantée au milieu de la France et sans doute au centre de la terre. Ça le faisait rire d'imaginer qu'au début il y avait un seul nom, et maintenant il devait en exister au moins trois millions de milliards. Quel progrès depuis ce temps!

Il récita tous les A de Aaronson à Azout et puis il jeta un coup d'œil au dernier nom: Zypinaglou. Intoxiqué par les quatre colonnes rangées par ordre alphabétique, il trouva que c'était vraiment un modèle d'organisation, de justice et de démocratie. Penser que M. Tout-le-Monde pouvait avoir son nom publié dans un tel livre l'épatait. Et puis, il chercha son nom sans le trouver. Bon alors, il fallait être propriétaire d'un téléphone pour être inscrit dans ce livre. Jusque-là, eux, ils n'avaient jamais eu de téléphone. Quand il fallait téléphoner en Algérie ou ailleurs, toute la famille descendait à la cabine publique.

Il s'amusa à se donner tel ou tel nom: Salah Guintrand de Peyre, Salah Pelvilain, Salah Rinaldino, Salah Meunier, Salah Parjadis de la Rivière, Salah Dumouton, Salah Mayer. Il découvrit que rien ne lui allait comme son nom à lui: Salah Abdesselem. Il avait quelque chose de majestueux et de digne et il en était fier parce que c'était bien à lui.

Soudain, sa bonne humeur, née de sa passion pour cette lecture, s'évanouit: en fixant le cadran du téléphone, il constata qu'il n'avait personne à qui téléphoner. Il aurait aimé passer un coup de fil à sa maîtresse, mais il ne connaissait pas son prénom et il y avait une page entière de Martin. Il essaya un numéro au hasard dans les Y. Il le composa très soigneusement, mais s'affola quand une voix demanda:

— Oui, j'écoute, quel poste voulez-vous?

Il bégaya:

— Je ne sais pas exactement.

— Qui voulez-vous? Je n'ai pas de temps à perdre! hurla la voix.

— Excusez-moi, je me suis trompé, chuchota Salah.

— Vous ne pouvez pas faire attention, NON?

Le ton était terrorisant, à vous glacer le sang. Pas sympas, les Y.

Il avait tellement envie de réussir à entrer en contact avec quelqu'un qu'il était prêt à refaire l'expérience. Il parcourut les pages pour chercher quelqu'un habitant la même rue que lui. Il fit le numéro d'un S, 63, boulevard Jean-Céa. Son cœur battait fort chaque fois que la sonnerie retentissait, mais personne ne répondit. Il pourrait toujours appeler SOS Amitié, car c'était précisément l'aide qu'il cherchait.

Il resta rêveur un moment, tandis qu'une image d'enfants devant son école passait dans sa tête.

Il avait toujours été très sociable, mais il n'était jamais arrivé à se cueillir un ami bien à lui comme une fleur ou à appartenir à un de ces groupes de copains qui jouent ensemble, qui chahutent et qui forment une bande. Il aimait ses camarades de classe et il aurait donné le tiers de ses cheveux bouclés pour être dans l'équipe de foot ou pour faire ses devoirs avec quelqu'un. C'était un mystère: il apportait toujours un goûter de chez lui pour le partager avec les autres mais ils le remerciaient bien, mangeaient les gâteaux, puis le laissaient tomber. C'est ainsi qu'il comprit qu'on ne pouvait pas pêcher un ami comme un poisson. Il s'imagina simplement que tous les amis étaient déjà pris et qu'il était arrivé trop tard en France.

Si seulement ce téléphone pouvait lui donner une réponse… Il composa le numéro de SOS Amitié. Cela sonnait très longtemps. Il attendit cinq longues minutes: il aurait tellement aimé entendre une voix amicale!

Il contempla le balai, le seau et les produits de lavage en se rappelant sa mission.

Sa mère lui répétait souvent que ses frères et sœurs étaient ses meilleurs amis. Mais il pensait qu'elle se trompait un peu. Il suffisait de voir la quantité de bagarres qui éclataient chaque jour. Il ne savait pas si les amis se disputent. En tout cas, vu qu'ils étaient déjà frères et sœurs, ils ne pouvaient être aussi camarades. Et puis c'était trop facile; il souhaitait connaître quelqu'un en dehors de la famille. Sa famille, il était bien obligé de l'accepter et de l'aimer. Il n'avait pas le choix.

Malgré le balai et le seau, il ne put s'empêcher de faire encore un numéro: rue Emma-Goldmann, pas loin de chez lui. Cette fois, une voix d'enfant lui répondit:

— Allô…

Saisi par une panique noire, Salah bégaya:

— Ici, c'est Salah.

— Salah? C'est drôle, je m'appelle Sarah, c'est presque pareil que Salah. C'est un nom de garçon ou de fille?

Sa panique noire devint colère rouge.

— Je suis un garçon, bien sûr!

— À qui voulez-vous parler?

— J'aimerais discuter un peu avec toi, dit Salah.

— Mais je ne connais pas de Salah. Je n'ai jamais entendu parler de vous. Je ne savais même pas que ce nom existait.

«Il faut donc parler au téléphone pour exister», pensa Salah.

— J'aimerais te poser quelques questions, Sarah.

— Est-ce que c'est une enquête pour la télé? Comment avez-vous trouvé mon numéro? Pourquoi appelez-vous chez moi? demanda Sarah, méfiante.

— Je t'ai trouvée dans les M, j'essayais des noms dans l'annuaire pour voir s'ils m'allaient. Et ça m'a donné envie de parler avec quelqu'un. C'est la première fois que je téléphone.

— La première fois! Vous êtes un Martien, ou quoi?

— Nous sommes en train de déménager et dans l'autre appartement il n'y avait pas de téléphone, expliqua Salah.

Sarah trouva cela bizarre mais elle aimait sa voix.

— Quel âge avez-vous?

— Douze ans. Et toi?

— Dix ans. Tu es en sixième ou en cinquième?

Salah voulut mentir, mais n'y parvint pas.

— En CM2… J'ai commencé assez tard… mais je ne suis pas mauvais élève. Et toi?

— En CM2 aussi. C'est drôle qu'on soit tous les deux en CM2 et que nos deux noms débutent par SA et finissent aussi pareil.

— AH… S.A.L.A.H.

— Moi aussi, AH… S.A.R.A.H.

— C'est drôle aussi que parmi tous les M je sois justement tombé sur toi.

— Oui, c'est bizarre. J'aimerais redoubler le CM2. Je n'ai vraiment pas envie d'entrer en sixième, confia Sarah.

— Ça alors! Moi, j'ai hâte, surtout pour apprendre l'anglais. J'adore l'anglais. «Hot dog, chewing-gum, *yes, how are you?*» Pourquoi tu n'en as pas envie?

— Le maître nous a prévenus qu'on aurait six fois plus de travail en sixième. Et on a déjà beaucoup trop de devoirs pour être au niveau. Alors non, merci!

— Comment s'appelle-t-il?

— M. Laurent. Et le tien?

— Moi, c'est une maîtresse. Mlle Martin, répondit Salah.

— Elle est belle?

— Pas mal, plutôt vieille, dans les trente ans, mais elle s'habille en jeans pour faire plus jeune.

— Peut-être qu'elle aime les jeans. Ma mère a trente-cinq ans et elle en porte presque tous les jours, déclara Sarah.

L'idée de sa propre mère en jeans fit sourire Salah.

— Et toi, tu es toujours en jeans?

— Non, en jogging. Le maître est fana de sport, on en fait chaque jour, alors je porte sans cesse mon survêtement, dit Sarah.

— Nous, c'est le contraire. Tous les jours, dès qu'on chahute un peu, on est privés de sport. Et moi, j'adore ça... C'est casse-pieds. Tu es bonne, toi?

Sarah sentit son nez s'allonger rien qu'à l'idée de prétendre qu'elle était une vraie championne, qu'elle courait le plus vite, qu'elle sautait le plus haut et qu'elle était la plus forte au handball. Comme elle aurait aimé, même pendant une minute, donner d'elle l'image d'une déesse du sport, elle qui rêvait de savoir faire la galipette! Elle qui était toujours la dernière choisie lorsque des équipes étaient constituées, et à contrecœur!

— Non, je déteste ça. Je préférerais avoir ta maîtresse. Je sais seulement jouer au ping-pong. Papa a acheté une table, mais personne n'a jamais le temps de jouer avec moi. Tu sais, toi?

— Non, je n'ai jamais joué, mais j'apprends vite. Où vous la mettez, cette table? demanda Salah curieux de savoir comment faire entrer un objet si grand dans un appartement.

— Dans le jardin. Même s'il pleut, elle ne s'abîme pas; mais papa insiste pour qu'on la couvre, sauf qu'on oublie tout le temps et qu'il se fâche!

— Un jardin! Je ne connais personne ici qui ait un jardin. Tu y joues souvent?

— Non, presque jamais. D'abord il ne fait pas beau. Maman se plaint que ce n'était vraiment pas la peine d'acheter une maison avec un jardin pour ne pas y jouer. En été, on part en vacances, et en hiver j'ai trop de travail.

— Moi, je planterais des légumes, des salades, des aubergines, des poivrons… rêva Salah à voix haute.

— Papa a dit qu'il planterait des pommes de terre et des légumes, mais il n'a pas le temps.

— Tu pourrais semer des graines, toi. Nous avons installé un petit potager à l'école, sur le rebord de la fenêtre. C'est super! On a semé de la salade, des radis, des petits pois, et ça a poussé comme un rien, continua Salah.

— Oui, peut-être, mais avec la sixième l'an prochain…

— Je pourrais t'aider, proposa Salah.

— Oui, peut-être… Écoute, il faut que je raccroche. Maman vient de rentrer, chuchota Sarah.

— Moi aussi. Je te téléphone demain.

— D'accord.

— Alors, à demain.

— Oui, à demain.

— Au revoir.

— Au revoir.

— À bientôt.

— Salut, à bientôt.

— Salut, répondit Salah tel un écho.

Et puis plus rien.

Salah garda un bon moment le combiné près de son oreille dans l'espoir d'entendre encore la voix de l'amitié. Il commençait à avoir une crampe à la main, à force de le serrer. Finalement, il se leva, s'empara du balai et, léger, gracieux, heureux, il nettoya si bien le plancher qu'on aurait pu manger dessus.

2

— Avec qui parlais-tu quand je suis arrivée?
demanda la mère de Sarah.

Elle aurait pu répondre: «Avec Salah, un
garçon qui m'a téléphoné par hasard.» Mais
parfois, les explications les plus simples sont
aussi les plus compliquées.

Alors, elle dit:

— Quelqu'un qui a fait un faux numéro.

Ce n'était pas un gros mensonge. Sarah se
demandait souvent pourquoi on dit qu'il ne
faut pas mentir et si c'est vraiment mal de le
faire.

— Tu as passé une bonne journée à l'école?
cria sa mère de la salle de bains.

— Oui, j'ai eu 20 en grammaire.

Le «oui» était également un mensonge. Le 20, c'était vrai. Qu'est-ce qu'elle penserait, la maman de Sarah, si chaque fois qu'elle posait cette question indiscrète, Sarah lui offrait une de ses diverses vérités :

«Non! Le maître nous fait trop travailler.»

«Non! L'ambiance est trop tendue!»

«Non! C'est fatigant de rester à longueur de journée assise sur une chaise.»

«Non! Les filles de ma classe ne veulent jamais jouer avec moi.»

Cette dernière vérité était la plus dure, mais il y avait des douzaines de vérités semblables qui l'empêchaient de trouver ses journées franchement bonnes. À quoi ça servirait d'avouer tout ça à sa mère? Elle aimait mieux lui faire croire qu'elle était un boute-en-train, Miss CM2, qu'elle n'avait aucun problème.

Ah! Si seulement…

Elle avait beau se dire que l'on est ce que l'on est et que c'est très bien comme ça, que l'on n'a pas forcément besoin d'avoir une horde d'amis et qu'il y a un certain plaisir à rester seule dans son coin, elle avait en réalité terriblement envie de faire partie d'un duo ou d'un trio de copines. Il lui arrivait quelquefois, quand telle ou telle fille était absente, d'être adoptée pour une journée comme remplaçante, mais elle était abandonnée comme une vieille chaussette dès le lendemain.

Souvent, elle se demandait pourquoi les amis restaient étrangers à sa vie.

Elle commençait certes à avoir des boutons partout sur le visage et sur le dos, mais elle n'était pas la seule. Il y avait aussi ses seins qui prenaient de plus en plus d'importance et qui la gênaient énormément. Pourquoi ça poussait plus vite et plus gros chez les unes que chez les autres? Ça serait tellement plus facile s'ils étaient tous pareils, ou s'ils attendaient au moins la sixième! Elle faisait le maximum pour tenter de les camoufler avec d'énormes pulls de garçon. Elle s'arrondissait subtilement le dos. Elle mettait sa tête en avant. Elle pliait ses bras devant sa poitrine. Mais ils restaient plantés là, pour toujours, semblait-il. Et les bretelles du soutien-gorge qu'elle était obligée de porter glissaient sans arrêt le long de ses épaules !

Sarah s'endormit après avoir imaginé une nouvelle conversation avec la voix du téléphone, cette voix mélodique et sympathique. Le lendemain, elle était très inquiète : allait-il de nouveau appeler ? Elle n'avait pas pensé à lui demander son numéro. Il ne se rappellerait sûrement pas où il l'avait trouvée dans les M. Elle ne savait pas pourquoi, mais elle avait une envie impérieuse de planter des légumes dans le jardin.

— Maman, je vais acheter quelques paquets de graines pour les semer dans le jardin, si ça ne t'embête pas.

— Qu'est-ce qui t'arrive ? Ça alors ! Quelle bonne idée ! Je ne demande pas mieux ! Prends de l'argent dans mon porte-monnaie, proposa sa mère, ravie.

Sarah attendait la fin de la journée. Elle interprétait chaque petit événement comme un signe : s'il y a des pâtes à la cantine, il me téléphonera (Oui). Si le maître m'interroge, il me téléphonera (Oui). Si Nicole est absente, il me téléphonera (Non). Si nous faisons du dessin, il me téléphonera (Non). Elle était sûre qu'il téléphonerait et sûre qu'il ne téléphonerait pas. Quand elle arriva à la maison, elle était énervée par tous ces pronostics et elle avait acheté des graines de persil et de radis.

Le téléphone retentit comme un hymne au bonheur.

— Allô ?

— Monsieur Mayer ?

— Non, il n'est pas là, dit Sarah, déçue.

— Quand rentre-t-il ?

— Sept, huit heures, je crois.

— Je rappellerai, merci.

Elle allait abandonner ses derniers espoirs quand le téléphone donna de nouveau signe de vie.

— Allô, dit Sarah d'une voix claire.

— Sarah? C'est Salah, du téléphone d'hier.

Il avait dit à sa mère qu'il devait finir le nettoyage après l'école. Ils déménageaient le lendemain.

— Comment ça va? demanda Sarah.

— Ça va, Ali Baba. Ça va Sarah. Ça va *et cætera*.

Il était si content qu'il avait envie de dire des bêtises.

— Et toi, comment ça va?

Pour la première fois Sarah prenait cette question à cœur. Comment ça va? Comment quoi? Comment comment? Ça va où? Est-ce que ça va? Pourquoi ça irait? Pourquoi pas? Et puis, la question lui semblait tellement complexe et impossible qu'elle trouvait qu'Ali Baba, *et cætera* ou abracadabra et tapioca étaient de bonnes réponses, finalement. Mais elle n'avait pas l'habitude de dire des choses pareilles.

— Ça va comme ci, comme ça, dit-elle.

— Plutôt comme ci ou plutôt comme ça?

— Kif-kif, répondit-elle pour en finir avec ce sujet. Qu'est-ce que tu fais?

— Je vais finir de nettoyer l'appartement, parce que demain on déménage, dit Salah.

— Tes parents te font faire le ménage? Tu es obligé?

La question tomba comme une pierre sur la tête de Salah. Personne ne l'avait jamais forcé à faire quoi que ce soit. On se lève, on se lave, on mange, on va à l'école, on fait les courses, la vaisselle, on lave par terre, on s'occupe de ses frères et sœurs, parce que c'est comme ça. Il y a du travail et il faut le faire. C'est simple.

— Tu n'aides pas, toi? demanda Salah, étonné et un peu inquiet.

— Tu parles, je n'ai pas le temps, avec la sixième l'année prochaine! C'est grand ta nouvelle maison?

Salah contempla l'espace vide. Jusqu'à présent, ils avaient vécu dans un minuscule deux-pièces ; ici ils seraient à l'aise et il était heureux de venir habiter au centre ville.

— Oui, c'est grand. Je crois que ça fait dans les soixante-huit mètres carrés. Et chez toi ?

Sarah ne se sentait pas fière, mais que répondre ?

— Chez nous, c'est grand aussi.

— Trois, quatre pièces ?

— Huit, mais elles ne sont pas immenses, reprit Sarah rapidement.

— Huit pièces ! Et combien vous êtes là-dedans ?

— Juste nous trois. Quelquefois on a des invités.

Salah trouvait ça curieux et triste que trois personnes soient perdues dans cet énorme espace. Ça faisait 2,7 pièces par personne. À quoi cela servait-il ?

— Tu ne te perds pas dans toutes ces pièces ? Tu n'as pas de frères et sœurs ?

— Papa ne voulait avoir qu'un seul enfant pour bien le réussir. On verra si ça marche…

si je ne redouble pas. Mais c'est vrai que je me sens seule. Et vous, vous êtes combien ?

— Nous, on est sept, dit Salah avec fierté, comme ça on a toujours de la compagnie. Papa est venu seul au début. Il nous a raconté que sa chambre était si petite qu'il n'y avait de la place que pour un lit de camp, mais il était si fatigué le soir après le travail qu'il était bien content d'avoir un endroit à lui où se coucher. Il ne connaissait pas un mot de français.

— C'est exactement comme mon grand-père quand il est venu en France. Il mimait les choses ou bien il parlait polonais, mais personne ne le comprenait.

Sarah songea que même les Polonais ne comprenaient pas le polonais de pépé.

— Après, c'est ma grand-mère qui lui a appris. Mais il avait toujours un accent. Il disait «le rit» pour «la rue». Ton père parle bien maintenant ?

— Il se débrouille. Ma mère moins. Elle ne connaît pas de Français avec qui discuter.

— Vous parlez quoi entre vous alors ? interrogea Sarah.

— On parle arabe à la maison.

— C'est chouette, s'exclama Sarah enthousiaste. J'ai entendu des gens parler arabe, mais c'était du chinois pour moi. Comment dit-on bonjour ?

— *Salâm aleïkoum.*

— Ça alors, c'est presque comme l'hébreu. *Shalom aleichem.*

— Tu sais l'hébreu, toi ? s'étonna Salah sur la défensive.

Sarah s'alarma, car sans trop savoir pourquoi elle avait l'impression qu'entre l'hébreu et l'arabe il y avait des problèmes. Il valait mieux laisser tomber.

— Non, j'ai juste entendu quelques mots comme ça.

Salah était également troublé. L'hébreu soulevait en lui des ombres d'embarras et de perplexité. Il aurait aimé en savoir plus, mais sans mettre en jeu son amitié toute neuve. Il avait souvent entendu dire qu'il ne fallait pas parler politique. Il ignorait pourquoi, mais il craignait de se brûler. Et d'abord, il n'était pas sûr que l'hébreu soit de la politique. Il préféra changer de sujet.

— Qu'est-ce que tu as fait aujourd'hui?

C'était mieux que: «Tu as passé une bonne journée?» Sarah était certaine que si elle répondait toujours: «Non, mauvaise journée! Ça va mal. Ça me casse les pieds», on finirait par ne plus lui poser de questions. Pourquoi les gens aiment-ils entendre de jolies histoires? À la question de Salah elle pouvait donner la réponse suivante: grammaire, maths, récréation, cantine, sciences naturelles, natation. Mais qu'est-ce qui distinguait cette journée des autres?

— Aujourd'hui, le maître est venu à l'école en smoking!

— Qu'est-ce que c'est, un «smoking»?

— C'est un beau costume comme pour un mariage. Il avait une cravate couverte d'initiales: CD, CD, CD, CD. Elle était jolie, mais lui il s'appelle Laurent; il a dû emprunter la cravate à un copain pour la journée. On pourrait lui offrir une cravate avec ses propres initiales pour Noël. Tu fêtes Noël, toi?

— Non, nous on a d'autres fêtes. Et toi?

— Nous aussi. Et vachement bien. Pour le nôtre, ça s'appelle la fête des Lumières, on allume des bougies chaque soir pendant huit jours. Je déteste Noël. Tout le monde en parle, les rues et les magasins sont décorés, les gens s'excitent et pour moi c'est rien, pas d'arbre, pas de chaussures, pas de Père Noël...

— Tu ne perds pas grand-chose, va. Celui-là alors, quelle blague! Et il n'y en a pas un seul, il y en a des milliards. Ils sont partout en décembre. Une fois, j'ai demandé à un Père Noël: «Quelle heure est-il, s'il vous plaît?»

— Quelle idée de demander l'heure au Père Noël!

— Oui, c'est vrai, mais j'achetais du pain et j'avais peur d'être en retard à l'école.

— Qu'est-ce qu'il t'a répondu?

— «Fiche-moi le camp, petit bougnoule!»
Il devait être de mauvaise humeur ce jour-là.

— Qu'est-ce que c'est, un «bougnoule»?

— C'est quand on n'aime pas les Arabes.

— Ah! bon, c'est comme «sale juif»!

Salah sentit la politique se glisser à nouveau dans le téléphone. «Attention, se dit-il. Danger, chute de pierres, risque de verglas.»

— Pourquoi portait-il un smoking?

— Carole lui a demandé s'il allait se marier aujourd'hui. Il a rougi comme une tomate. Et Maryse a crié: «Vous êtes beau, monsieur Laurent!»

— Elle est sympa, Maryse?

— C'est la fille la plus aimée de la classe. Elle est toujours habillée à la dernière mode. Elle est mignonne. Tout le monde veut être son ami. Les garçons en sont amoureux.

Dans ses rêves, Sarah aimait imaginer que tous les garçons étaient amoureux d'elle, elle, la vedette, la sportive, la star...

— Je vois, dit Salah, sans vraiment voir.

— Ce n'est pas une intellectuelle, mais elle imite à la perfection les chanteurs à la mode.

Salah ne savait pas exactement ce que c'était qu'une intellectuelle, mais ça devait avoir un lien avec l'intelligence et, ça, il connaissait. Il aurait aimé que Sarah sache ce que disaient de lui la maîtresse et la directrice: «C'est un garçon intelligent.» Mais il ne pouvait pas s'en vanter au téléphone. Et de toute façon, ça ne changeait rien. Comme disait son oncle: «Avec l'intelligence et surtout quelques pièces de monnaie tu peux acheter du pain.»

— Toi, Sarah, tu es une intellectuelle?

— Espérons-le! Papa veut que je passe le bac scientifique, alors il vaudrait mieux. Je crois que je préférerais quand même être belle comme Maryse.

— Je suis sûr que tu es plus belle qu'elle, s'exclama Salah.

Un drôle de plaisir envahit le corps de Sarah. Comme la vie serait douce si l'on pouvait toujours entendre des choses agréables comme des caresses. Mais elle craignait que ce ne soit plus souvent le contraire: insultes, blessures, réprimandes. Et dans le fil de sa pensée, elle lâcha:

— Avant-hier j'ai entendu une vieille dame crier un gros mot en pleine rue.

— Si les gens âgés se mettent eux aussi à jurer... renchérit Salah en se récitant une suite de terribles injures.

— Mon maître commence et finit parfois ses journées en nous disant: «Vous êtes des imbéciles, des crétins...»

— Une fois, à la poste, un homme s'est fait insulter parce qu'il ne prenait pas assez vite son tour au guichet. Il s'est fait traiter de tas de noms d'oiseaux.

— Même chose pour ma mère parce qu'elle ne démarrait pas assez vite au vert. Quelqu'un a hurlé: «Avance bourrique!»

Non, décidément, tous les mots n'étaient pas câlins.

— Quoi qu'il en soit, le maître doit être amoureux. Si tu avais vu comme il était bien coiffé, parfumé et sans lunettes. Il y a un mystère : comment arrive-t-il à voir quand il ne les met pas ? Cathy pense qu'il a mis des verres de contact.

— Qu'est-ce que c'est ? demanda Salah.

— Ce sont des verres invisibles qu'on place sur l'œil.

— Quelle horreur ! s'exclama-t-il en se frottant la paupière.

— Non, ce n'est pas si mal, dit Sarah. Ma mère en a. Elle les met le matin et les enlève pour se coucher le soir. On s'habitue très bien. De toute façon, pépé prétendait qu'on s'habitue à n'importe quoi sauf à Auschwitz.

— Qu'est-ce que c'est ?

Il commençait à se prendre pour un disque rayé : «Qu'est-ce que c'est ? Qu'est-ce que c'est ?»

— C'est un camp de concentration.

— Une sorte de colonie de vacances ?

— Non. Quand pépé est revenu, il a raconté que la plupart des gens étaient morts ou avaient été tués là-bas par les nazis pendant la guerre. Il paraît que c'était horrible. Il n'en parlait pas souvent sauf quelquefois pour plaisanter quand il dégustait un bon repas chez nous: il riait en déclarant que c'était meilleur qu'à Auschwitz. Je crois que c'était un très mauvais souvenir, car il faisait sans arrêt des cauchemars et criait pendant son sommeil. Mais il était fantastique, mon pépé.

Cette histoire intéressait vivement Salah, mais il craignait que la guerre et les camps de concentration ne soient de la politique. Il essaierait de se renseigner à la bibliothèque.

La guerre dont il avait toujours entendu parler, c'était la guerre d'Algérie, et il savait que des choses terribles s'y étaient passées, mais les adultes évitaient en général ce sujet devant lui.

— Est-ce que tu sais de qui il est amoureux ton maître?

— Je crois que c'est la nouvelle stagiaire.
Ils se parlent en cachette mais nous les avons
surpris. Je me demande si l'amour va l'arranger…

— Je dirais que oui: en principe, l'amour
arrange toujours tout. T'as qu'à voir dans les
films à la télé. Tout va mal, et puis soudain on
s'embrasse et tout s'arrange.

« L'amour… » pensa Sarah, rêveuse. C'était
un mot magique qui cachait un mystère. Elle
était incapable de le définir, mais elle savait
que l'amour plus le bac scientifique, c'était le
but de sa vie.

— Je ne sais pas, on n'a pas la télé, dit
Sarah.

— Vous n'avez pas la télé! Comment ça se
fait… avec toute la place que vous avez?

— Maman pense que si l'on avait la télé, je
ne lirais pas de livres et je ne développerais pas
mon imagination.

Décidément, il y avait des gens bizarres
sur la terre. À quoi ressembleraient ses soirées,

les mercredis de pluie, les samedis après-midi, les dimanches, sans télé ? Il ne devait vraiment pas avoir l'esprit imaginatif, car il n'envisageait pas du tout sa vie sans télé. Et il plaignait un peu Sarah.

— Mais tu as déjà vu la télé ?

— Oui, je la regarde le samedi chez ma grand-mère. J'ai vu *Columbo* samedi dernier.

— Super, le type ! s'exclama Salah.

— *Maya l'abeille.*

— Non, c'est pour les petits.

— Et puis *La Petite Maison dans la prairie.*

— Ah, c'est chouette ça...

— Tu as lu le livre ? demanda Sarah.

— Quel livre ?

— *La Petite Maison dans la prairie.*

Il aurait pu dire oui, étant donné qu'il l'avait vu à la télé, mais il préférait être honnête, bien que ce soit plus dur. On peut mentir aux autres et on peut se mentir à soi-même, toutefois Salah ne voulait pas mentir au téléphone. Il n'en avait pas moins honte de n'avoir jamais lu que l'*Annuaire officiel des abonnés au téléphone*, bien que ce soit un livre passionnant.

— Non, je ne l'ai pas encore lu. («Je ne suis pas encore mort», réfléchit Salah.) Quel est ton livre préféré?

— L'année dernière, c'était *La Maison des petits bonheurs*. Je l'ai lu trente-neuf fois.

«*La Maison des petits bonheurs, La Maison des petits bonheurs, La Maison des petits bonheurs…*» répéta Salah dans sa tête pour ne pas oublier le titre tout en espérant qu'elle ne lui demanderait pas le sien.

Elle le trouverait sûrement cinglé s'il lui répondait que c'était l'*Annuaire officiel des abonnés au téléphone*.

— Je n'ai pas lu celui-là.

«Changeons vite de sujet», pensa Salah. Il aimait bien l'amour comme sujet. Puis il pensa avec chagrin que demain il ne pourrait pas téléphoner.

— Je ne suis pas sûr de pouvoir t'appeler demain, parce qu'on déménage.

— Je peux, moi, offrit Sarah. Donne-moi ton numéro.

Salah imagina sa mère en train de répondre au téléphone : si quelqu'un demandait son fils, elle serait effrayée. Il fallait lui laisser le temps de découvrir cet appareil à son rythme, sans la brusquer.

— Bon, je te rappellerai demain ou après-demain.

— D'accord ! («Pourquoi ne veut-il pas me donner son numéro ?» s'interrogea Sarah.) Eh, Salah... j'ai acheté des graines de persil, et de...

— Oh, la, la, malheur ! Pas de persil, surtout pas de persil...

— Pourquoi pas de persil ? demanda Sarah.

— Tu aimes ta maison ?

— Ouais...

— Chez nous, on dit que si tu veux partir, tu sèmes du persil et ça te chasse de chez toi.

— Tu crois à ça, toi ?

— On ne sait jamais, répliqua Salah.

– Je vais le planter et on verra bien. C'est
une expérience à tenter.

« C'est ça, une intellectuelle ? » se demanda
Salah.

– Ne dis pas que je ne t'ai pas prévenue.

– T'en fais pas ! Bon déménagement.

– Merci. À bientôt.

– À bientôt.

Sarah raccrocha le téléphone, irradiée par
un bien-être tout neuf. Elle laissa tomber ses
devoirs pour aller semer ses premières graines
dans le jardin. Elle savait que ce persil lui por-
terait bonheur parce que c'étaient les graines
de l'amitié.

3

«*La Maison des petits bonheurs, La Maison des petits bonheurs*», répéta Salah jusqu'à la bibliothèque de son nouveau quartier, place de la Libération. C'était la première fois qu'il se rendait dans une bibliothèque, mais la maîtresse en avait souvent parlé comme d'un endroit bien. Il entra comme s'il était propriétaire du lieu. Il alla directement aux livres, les sortant l'un après l'autre en espérant chaque fois dénicher *La Maison des petits bonheurs*. Après qu'il eut fait le tour des rayonnages, la dame de la bibliothèque lui demanda si elle pouvait l'aider.

— Je cherche *La Maison des petits bonheurs*.
— Ah! c'est un joli roman.

Elle se dirigea directement vers le livre, semblable à son avis aux autres livres, et le lui tendit.

«Comment fait-elle?» se demanda-t-il.

— Voilà.

— Merci, je vous le rapporte demain, dit Salah en ouvrant déjà la porte pour sortir, au comble de l'excitation.

— Attends, es-tu inscrit? interrogea la dame.

— Non. Avant, on habitait loin, mais demain on déménage dans la rue Jean-Céa, à côté, répondit Salah.

— Je regrette, mais il faut apporter une quittance de loyer ou une facture de gaz pour t'inscrire avant de pouvoir sortir un livre. Tu peux le lire ici en attendant.

Salah n'avait plus beaucoup de temps. S'il s'attardait, sa mère s'inquiéterait. Il se mit à lire. Il oublia l'heure, tellement il était pris par ce journal, qui parlait des gens vrais et de leurs problèmes de tous les jours. C'était un peu un livre de filles, avec Aline Dupin qui racontait sa vie, mais il aimait quand même. Il en était à la page 41 quand la dame vint lui dire qu'elle était obligée de fermer la bibliothèque parce que c'était l'heure.

— Écoute, tu me promets de le rapporter?

Sans attendre sa réponse, elle ajouta:

— Je te le prête jusqu'à demain.

— Oh! merci, madame.

Et Salah, sans savoir pourquoi, l'embrassa sur les deux joues. Parce qu'elle lui faisait confiance, peut-être? Et parce qu'il était content de ne pas avoir à abandonner le livre en plein milieu.

Il rentra vite chez lui pour annoncer à sa mère que la «maison des petits bonheurs» était prête à les recevoir. Puis il lui montra le livre. Sa mère, à moitié fière, à moitié alarmée par les exploits littéraires de son aîné, lui dit:

— Tu es un vrai Français, toi.

Il avait beaucoup à faire — finir le livre, aider à préparer le déménagement, penser à son amie-voix. Le lendemain, samedi, allait être chargé. Il prit la lampe de poche de son père et lut sous les couvertures pendant que ses frères et sœurs dormaient. La maman de Sarah avait raison: quand on lit, on peut imaginer des tas de choses. Cette nuit-là, Salah Abdesselem lut le premier livre (à part l'*Annuaire officiel des abonnés au téléphone*) de sa vie.

Après l'école, le père de Salah chargea le camion prêté par son patron. Tout se passait bien. «C'est là qu'on s'aperçoit qu'on a plus de chance d'avoir un deux-pièces qu'un huit-pièces quand on déménage», pensa Salah.

Il guettait le téléphone frénétiquement. Chaque fois qu'il commençait à composer le numéro de Sarah, quelqu'un entrait et il sursautait. Sa mère était en train d'essayer d'arranger la cuisine, son père rapportait le camion, les enfants défaisaient les paquets. Salah tenta encore le coup. Il composa le numéro comme un voleur qui a peur de se faire prendre. Ça sonnait… Comment réagirait-il si la mère ou le père de Sarah répondait? Ça sonnait toujours. Il n'y avait personne. Ouf! Tant mieux. Mais comment allait-il se débrouiller maintenant?

Quand son père rentra, Salah lui demanda une quittance de loyer ou une facture de gaz.

— Pour quoi faire? s'enquit son père.

— La maîtresse nous a dit de nous inscrire à la bibliothèque. Il y en a une pas loin d'ici.

— Combien ça coûte?

— C'est gratuit. Il faut simplement montrer qu'on habite le quartier.

— Bon, voilà. Rapporte-moi les papiers.

Ça marchait toujours quand Salah disait: la maîtresse exige, ou commande, ou ordonne. C'étaient des mensonges diplomatiques. Quand Salah était persuadé que ce qu'il essayait d'obtenir de son père était pour son bien, il utilisait la maîtresse. Son père ne voulait pas de problème avec l'école.

La dame de la bibliothèque l'accueillit chaleureusement. Elle inscrivit son nom et son adresse sur une carte et elle l'informa qu'il pouvait emprunter trois livres chaque fois pour une période de deux semaines. «C'est une mine d'or», pensa Salah. Elle lui demanda s'il avait aimé *La Maison des petits bonheurs*.

— C'est pas mal, répondit Salah.

— Qu'est-ce que tu aimerais lire maintenant?

— Je ne sais pas. Je vais explorer un peu.

En fait, il savait très bien. Il voulait lire un livre sur le téléphone, voir comment cela fonctionnait. Il chercha d'abord dans le dictionnaire: «Téléphone, n.m. (gr. *têle*, loin, et *phônê*, voix). Instrument qui permet une conversation entre deux personnes éloignées // Syn. Courant de téléphonie. Fam. Téléphone arabe: information, rumeur qui se propage très vite de bouche à oreille.» C'était peut-être pour ça qu'il aimait tant le téléphone... parce qu'il était arabe...

La bibliothécaire lui expliqua comment trouver un livre. Elle lui montra les fichiers par sujets et par auteurs, classés par ordre alphabétique.

— En attendant qu'on nous informatise, lui chuchota-t-elle.

Salah regarda à « Téléphone », lut sur une fiche le numéro d'un livre, se dirigea vers le rayon et sortit l'ouvrage qui s'intitulait *Le Téléphone*. « Parfait, pensa-t-il enthousiaste, avec les livres je pourrai savoir tout sur tout. » Il réfléchit à des quantités de choses qu'il aimerait connaître mieux. Après le téléphone, la télé, l'automobile, les plantes et les légumes, l'électricité, les pays… qui sait, peut-être existait-il même des livres sur la politique et l'amour?

Exalté à l'idée d'avoir découvert la clef du savoir, Salah ouvrit *Le Téléphone* au premier chapitre : « La commutation téléphonique ». La signification du mot « commutation » n'était pas claire pour lui, mais tant pis. Il savait lire et il attaqua : « 1837 – premières expériences de Page et Henry. Ils constatèrent qu'un courant alternatif (quèsaco ?) envoyé dans un solénoïde (un quoi ?) entourant une barre de fer faisait chanter cette dernière. »

Salah continuait, de plus en plus découragé par son incapacité à déchiffrer le texte. Tant qu'il s'agissait de courant électrique, champ magnétique et batterie, ça allait à peu près, mais des mots comme « résistances », « induction », « oscillographe », « fréquences », « faisceaux », ne voulaient rien dire pour lui. Il lisait la même phrase cinq fois comme si c'était une langue étrangère avant de reposer, battu, le livre sur l'étagère. ˋ

La bibliothécaire lui dit : « Il y a peut-être une BT sur le téléphone. » Elle lui montra le catalogue des BT. Mais il s'était lassé du téléphone. Subitement, il pensa aux camps de concentration.

— Avez-vous un livre sur les camps de concentration ?

Elle le regarda d'une drôle de façon, et tout en réfléchissant, elle lui dit :

— Si tu as aimé le style de l'auteur dans *La Maison des petits bonheurs*, tu aimerais sûrement *Le Journal d'Anne Frank*, qui a vécu à l'époque de la Seconde Guerre mondiale.

Elle lui tendit un livre avec la photo d'une fille brune sur la couverture. En la dévisageant, il eut le sentiment que Sarah lui ressemblait. Il le mit au chaud sous son bras et sortit gravement de la bibliothèque.

De retour chez lui — par miracle il n'y avait personne —, il sauta sur le téléphone et composa le numéro de Sarah.

— Allô, oui, répondit une voix qui n'était pas celle de Sarah.

— J'aimerais parler à Sarah, s'il vous plaît, madame. Il n'était pas à l'aise avec les usages du téléphone.

— De la part de qui?

Quelque chose le retint d'annoncer son beau nom.

— C'est un ami.

— Bon, je vais la chercher.

«Ouf!» soupira Salah comme s'il l'avait échappé belle.

— Allô, dit Sarah.

— Bonjour Sarah, c'est Salah. La vie te sourit aujourd'hui?

— Oh, salut. On vient de rentrer de chez ma grand-mère. J'avais peur que tu téléphones pendant que je n'étais pas là.

— J'ai téléphoné tout à l'heure, mais il n'y avait personne! Elle va bien, ta grand-mère? Où habite-t-elle?

— Pas loin, sur l'avenue Sabba. Quand on lui demande comment ça va, elle dit: «Ça va comme les vieux. La pleine forme, je l'ai perdue au marché aux puces.»

— Elle est vieille?

— Figure-toi qu'on ne sait pas son âge. Elle est née à Constantinople. Quand sa maison a brûlé, ils ont perdu son certificat de naissance. Elle ne sait pas quand elle est née — ça devait être il y a très longtemps, il paraît qu'on n'enregistrait même pas les naissances des filles.

— Et toi, tu es née quand ?

— Le 18 mars. Et toi ?

— Ça alors ! Moi aussi, je suis du mois de mars. Je suis poisson.

— Tu crois à ces trucs d'astrologie ? demanda Sarah.

— Quelqu'un m'a dit que les poissons sont très énergiques et je le suis, répondit Salah.

— Moi je suis poisson, et pas énergique pour deux sous. Il y a des filles dans ma classe qui croient à l'horoscope comme en Dieu.

— Tu crois en Dieu ?

« Quelle question ! » pensa Sarah en cherchant une réponse.

— Mémé croit en Dieu et j'aime beaucoup mémé. Pépé croyait aussi. J'aime penser que pépé est heureux à côté de Dieu. Il m'a dit que, quand il était à Auschwitz, il avait promis que si Dieu le sortait de là, il observerait le sabbat, c'est-à-dire, le repos du samedi.

— Qu'est-ce qu'il faut faire le samedi ? demanda Salah, en estimant qu'il pouvait autant apprendre par le téléphone que par la télé ou les livres.

— C'est plutôt ce qu'il ne faut pas faire ! On ne peut pas travailler, ni téléphoner, ni écrire, ni coudre, ni tricoter, ni semer, ni cuisiner, ni prendre la voiture ou allumer la lumière.

— Alors, tu ne vas pas à l'école le samedi ?

— Tu parles ! Avec la sixième l'année prochaine ! Nous, on ne l'observe pas vraiment.

— Et comment mange-t-on le samedi ?

— Mémé, elle prépare à manger le vendredi pour deux jours et puis elle mange froid. Elle dit qu'elle est très contente d'avoir une journée sans cuisine.

— Et qu'est-ce que tu as le droit de faire le samedi ?

— On peut prier, chanter, marcher, réfléchir, aller à la synagogue.

— C'est comme ça que tu as passé ta journée, aujourd'hui ?

— Non. Cet après-midi, j'ai regardé la télé chez mémé. Elle nous laisse allumer la télé.

Mais je crois finalement que c'est une perte de temps.

«Ah! ces intellectuelles!» pensa Salah.

– Dis donc, j'ai lu le livre que tu m'as conseillé, *La Maison des petits bonheurs*.

– Ça t'a plu? s'inquiéta Sarah, car il est toujours délicat de faire partager ses goûts.

– Oui, j'ai bien aimé. Ta mère a raison, les livres donnent plus de travail à l'imagination. Tu peux lire le samedi?

– Bien sûr.

– Mais ça fait travailler l'imagination.

– L'imagination, ça va, je crois.

– Dis-moi (c'était comme exploiter une mine de renseignements, pour Salah), où est Constantinople?

– Maintenant, ça s'appelle Istanbul. C'est en Turquie.

– Tu es allée jusque là-bas?

– Non, pas encore.

– On pourrait y aller ensemble... proposa Salah.

— C'est assez loin. On verra.

— Quelle langue on parle, là-bas?

— Le turc, mais mémé a appris le français à l'école et elle parlait le ladino en famille.

Il ne voulait pas encore poser une question: «Qu'est-ce que c'est le ladino?» Une autre fois...

— Elle est contente d'être venue en France, ta mémé?

— Pas tellement. Elle a eu beaucoup de problèmes pendant la guerre. Elle a dû envoyer ses enfants loin d'elle pour essayer de les protéger. Elle s'est cachée. Elle n'arrive pas à oublier cette période. Quand elle sort de chez elle maintenant, elle regarde à gauche et à droite parce qu'elle pense que la Gestapo la file toujours. Et toi, tu es content d'être en France?

— Oh, tu sais, papa est parti d'Algérie parce qu'il n'avait plus de travail, et nous, on l'a rejoint plus tard. On n'avait pas le choix. Ça va à peu près maintenant, mentit Salah, sachant combien il était difficile pour ses parents de s'adapter à ce nouveau pays.

— Tes grands-parents sont ici?

— Non, ils sont en Algérie. Je ne les connais pas vraiment.

— Quel dommage. Mon pépé venait me chercher à l'école avec ses poches pleines de ce qu'il appelait des «bonnes choses». Après sa mort, papa a planté un petit arbre dans le jardin. C'est un souvenir de pépé pour moi. Il pousse bien et je pense souvent à lui. Quelquefois, je le vois dans ma tête et une phrase ou une blague me revient.

Salah perçut la tristesse de sa voix. Mais il ne savait pas comment la consoler. Alors il dit de la mort:

— C'est la vie.

— Je suppose, soupira Sarah. Mémé répète souvent que la seule chose dont on peut être sûr, c'est qu'on va mourir.

Sarah se demanda tout à coup si ses parents pouvaient l'entendre. Elle n'avait pas honte de ce qu'elle disait, mais l'idée qu'ils écoutaient la gênait. Au même moment, la famille de Salah rentra à la maison. Ébahi d'être pris en flagrant délit, Salah dit simplement «Salut» en raccrochant.

— Ne joue pas avec le téléphone! cria le père de Salah.

— Je ne joue pas, je regarde seulement comment c'est fait, mentit Salah, rouge et tremblant d'émotion.

— N'y touche plus! ordonna son père.

Salah, tel un criminel, n'avait pas le cœur d'avouer qu'il ne pourrait pas obéir.

4

Sarah était perplexe sur la raison qui avait poussé Salah à raccrocher si brusquement. Peut-être en avait-il plus qu'assez de sa conversation lugubre. Sa mère lui disait souvent qu'elle n'était pas assez gaie, assez heureuse, d'assez bonne humeur pour une petite fille – et une petite fille qui avait tous les avantages: des parents qui l'aimaient, une grande maison avec un jardin, les privilèges d'une éducation sans trop de contraintes. Son père ajoutait toujours: «Et tu as la chance de vivre dans un pays démocratique, où l'on peut s'exprimer librement.» D'après les parents de Sarah, son bien-être était sans limites. Elle ne manquait de rien, elle était en bonne santé et elle avait une tête solide sur ses épaules. Mais elle avait horreur d'entendre des injonctions comme: «Sois heureuse, Sarah! Tu as tout pour toi!» ou des reproches comme: «Qu'est-ce que tu as à bouder comme ça? Tu ne peux pas sourire un peu? Ça ne coûte pas plus cher!» ou encore: «Si tu arbores sans arrêt cette triste mine, tu n'auras jamais d'amis.»

Sarah n'aurait pas demandé mieux que d'être légère et rigolote comme Maryse. Mais elle n'y arrivait pas.

Elle n'était pas à l'aise avec ses parents parce qu'elle sentait qu'ils désiraient une fille différente d'elle. Elle les aimait, mais elle était mauvaise comédienne. Parfois elle était franchement heureuse – elle ne comprenait pas toujours pourquoi – un sourire chaleureux d'un camarade de classe, une bonne note, un film passionnant au cinéma, un livre intéressant ou quelque chose dans l'air.

Ses parents avaient un ami qui disait: «Le bonheur, c'est d'avoir de quoi manger!» Il paraît qu'il avait été très pauvre dans son enfance. Il n'avait pas pu aller à l'école parce qu'il n'avait pas de chaussures. Sarah comprenait son point de vue, mais elle portait depuis toujours des chaussures, elle n'avait pratiquement jamais manqué l'école, sauf pendant sa varicelle ou le jour du Grand Pardon, et elle en avait plus qu'assez de manger. Elle savait qu'il y a des gens qui ont faim mais elle n'avait jamais été victime d'un estomac creux.

Elle était toutefois certaine que ses allergies provenaient d'une réaction aux guerres et à la violence.

— Maman, tu parles toujours des avantages que j'ai par rapport à ceux qui sont dans le besoin. Tu crois vraiment que je devrais être heureuse parce qu'il y a des malheureux?

— Cesse de te tourmenter!

Comment ne pas se tourmenter alors que Salah avait raccroché sans raison! Elle était sûre d'avoir dit quelque chose qui l'avait braqué. Il ne lui téléphonerait sans doute plus. Fin du bonheur. En entrant dans la salle de séjour, sa mère remarqua :

— Il a l'air gentil, ton petit ami. C'est bien que tu commences à avoir des copains. Tu peux l'inviter si tu veux.

Sarah quitta la pièce avant de fondre en larmes.

Elle chercha dans l'annuaire le numéro de téléphone de Salah mais elle se rendit compte qu'elle ne connaissait même pas son nom de famille. Et elle ne savait pas à quoi il ressemblait. La situation était pratiquement désespérée.

Le lendemain, dimanche, elle enleva les mauvaises herbes autour de ses graines et dit à ses parents qu'elle allait marcher un peu.

— Vous avez besoin de quelque chose ?

— Oui, tu peux acheter le journal, dit sa mère.

— Et du pain, ajouta son père.

Sarah marcha le long des trottoirs, dévisageant chaque garçon d'environ douze ans qu'elle croisait en chemin. Elle passa le quartier au peigne fin sans rencontrer Salah. Elle se mit à penser qu'elle avait vraiment été égoïste. Lui, il avait posé des tas de questions – il en savait plus sur elle qu'elle sur lui. Il s'intéressait à ce qu'elle pensait, à ce qu'elle faisait, à ce qu'elle vivait, alors qu'elle ne lui avait pratiquement rien demandé sur sa vie. Si seulement il retéléphonait...

Salah tournait autour du téléphone comme une bête en cage.

Tous les membres de sa famille s'affairaient à ranger l'appartement, et il n'était pas question pour lui de rester seul une minute ou de composer le numéro magique. Il suggéra à sa mère de sortir prendre l'air :

– Ça te fera du bien, maman. Tu reprendras des forces. Tu ne peux pas rester enfermée comme ça la journée entière !

– Non, non. Je veux terminer. Mais c'est une bonne idée, mon fils. Sors un peu les enfants. Promène-les dans le nouveau quartier.

Salah était effondré. Son plan avait lamentablement échoué. Les enfants se réjouissaient de faire un tour. Tout d'un coup, Salah pensa qu'il rencontrerait peut-être Sarah dans la rue. Il dévora des yeux chaque fille qui se trouvait sur son chemin ce dimanche. Lui qui était plutôt indifférent d'habitude… Il cherchait quelqu'un ressemblant à Anne Frank. Mais personne ne répondit au SOS de son regard.

Il montra l'école du quartier à ses frères et sœurs. La directrice de l'établissement de leur ancien quartier avait prévenu ses parents que ce n'était pas très bon de changer d'école en cours d'année, alors, pour l'instant, ils allaient faire l'aller et retour. Il leur désigna le boulevard Morisse avec ses arbres malades de chaque côté. Ils passèrent devant la bibliothèque, mais elle était fermée. À chaque pas, il songeait à Sarah.

De retour chez lui, il espéra de toutes ses forces que ses parents sortiraient, mais sans résultat. Il aida au travail d'installation jusqu'après dîner et se mit finalement au lit avec son livre, *Le Journal d'Anne Frank*. En ce moment il n'y en avait décidément que pour les filles. Quand la télé s'éteignit enfin et que ses parents allèrent se coucher, il s'achemina sur la pointe des pieds vers le téléphone, sans penser qu'il était minuit. Il décrocha le récepteur comme un somnambule au moment où son père sortait de sa chambre. Voyant son fils, qui était un bon garçon obéissant, serviable et poli, en train de téléphoner à minuit, il lui dit tendrement:

— Viens, mon fils, viens te coucher.

Salah l'entendit ensuite parler avec sa mère:

— On n'aurait pas dû déménager. Ça le perturbe. Il téléphone dans son sommeil. Il va falloir enlever cet appareil maudit.

Salah était très, très embêté.

Lundi matin, Salah eut une révélation. En allant à l'école, il vit une cabine téléphonique. Bien sûr, il avait déjà été avec sa famille tout entassée dans une telle cabine pour parler avec la famille en Algérie, mais c'était la première fois qu'il y pensait comme une solution à son problème à lui. Il l'inspecta, l'observa sous tous les angles. Il demanderait à la maîtresse combien il fallait mettre.

— Maîtresse, demanda Salah pendant la récréation, est-ce que vous connaissez le système des cabines téléphoniques?

— Oh, là là, ne m'en parle pas!

— Mais est-ce que vous savez combien il faut mettre pour téléphoner?

— Bien sûr! Où veux-tu téléphoner?

— Rue Emma-Goldmann.

— Ici, en ville?

— Oui, dit Salah.

— Elle fouilla dans son sac et lui montra la pièce qu'il fallait.

— Merci.

Salah était soulagé parce que, justement, il avait cette pièce. Il n'en fallait pas beaucoup pour faire son bonheur. En revenant de l'école, il pénétra triomphalement dans une cabine comme un capitaine sur son navire. Il glissa la pièce dans la fente, rien ne se passa. Pas de tonalité. Il frappa violemment l'appareil mais il se rendit vite compte que c'était peine perdue. Le ciel s'assombrit en même temps que son humeur. Il n'en fallait pas beaucoup pour faire son malheur.

Comment retrouver une autre pièce? Et une cabine qui marche? En proie à ces problèmes, Salah rentra chez lui et se pencha sur ses devoirs sans conviction. S'il avait pu téléphoner à Sarah, ils auraient travaillé ensemble. Il expédia les questions sur la lecture, l'auto-dictée et les divisions en un clin d'œil.

Sa mère n'avait visiblement pas l'intention de sortir de la maison. Les parents ne comprennent pas que les enfants aient besoin de solitude, eux aussi. Il est vrai qu'elle ne connaissait encore personne dans le quartier. Salah fit son possible pour l'encourager à libérer les lieux et, en particulier, le téléphone.

— Tu ne veux pas visiter un peu le quartier, maman? Ça te changera les idées après ton travail.

Visiblement, elle n'en avait pas envie. Il essaya une nouvelle tactique :

— Tu as vu la boulangerie en bas? Il y a du pain aux raisins, aux noix, à l'ail, au cumin... Ils doivent avoir au moins cinquante sortes différentes.

Pas de réaction. Elle n'était pas tentée par le pain aujourd'hui. Encore un effort...

— Il y a aussi une boutique qui vend des épices en vrac. Ils ont de tout : du couscous roulé à la main, des légumes et des fruits secs, des dattes, des figues, des noix énormes de Californie. C'est un magasin minuscule avec des milliers d'articles.

Là, Salah sentit une étincelle : elle réagissait.

— Oui, j'irai voir un de ces matins.

Salah mentit :

— Je crois que c'est ouvert l'après-midi seulement.

— Bon, on verra.

S'il ne pouvait pas la tenter par le ventre, il essayerait par la coquetterie.

— J'ai vu aussi un magasin qui faisait des soldes monstres. Moitié prix sur les vêtements.

— Qu'est-ce qu'ils vendaient?

— Des robes, des jupes, des jeans.

— Tu me vois en jeans? dit en riant la mère de Salah.

— Mais oui, maman, pourquoi pas? Tu peux essayer de t'habiller un peu en Française quelquefois.

— De toute façon, mon fils, moitié prix, c'est encore trop cher.

Cette fois, il allait essayer de l'attirer par la beauté de la nature.

— Et puis, maman, il y a un joli jardin pas loin d'ici. Les femmes s'y installent pour tricoter et bavarder. Il y a de grands arbres et des fleurs.

— Il fait trop froid à cette heure-ci et puis j'ai trop de travail pour bavarder.

Alors une dernière tentative.

— Tu peux me prêter de l'argent?

— Pour quoi faire?

Il ne voulait pas mentir. C'était très difficile pour son père de gagner sa vie et l'argent
était précieux.

— Écoute, maman. Je ne suis plus un bébé
et je ne peux pas tout te dire. Je t'assure que
c'est important pour moi.

— C'est bon. Tiens.

L'honnêteté est quelquefois la meilleure
politique...

Salah sortit, triomphant, en quête d'une
cabine téléphonique en état de marche. Il lon-
gea plusieurs trottoirs avant d'en trouver une.
Il se réjouit parce qu'il y avait déjà quelqu'un
en train de parler, le téléphone n'était donc
pas cassé. Salah attendit devant les vitres de la
cabine. L'utilisateur sortit un paquet de ciga-
rettes bleu. Cinq minutes passèrent. Cinq
minutes, ça peut être très long. Surtout quand

on est debout et qu'on gèle devant une cabine téléphonique où un jeune homme s'est installé pour la vie. Dix minutes! Salah devenait fou. Il frappa timidement à la vitre. Le jeune homme lui fit une grimace. Il y a des gens qui se croient vraiment propriétaires des cabines publiques!

Salah décida d'en chercher une autre: une petite cabine douillette entourée de verdure avec un siège confortable. Il en trouva une sur une rue si passante que le bruit des motos ne permettait pas d'entendre ses propres pensées. Heureusement que devant cette cabine il y avait la queue. Il n'aurait pas aimé parler à Sarah de là, et pas question d'attendre encore.

Soudain, Salah pensa à la gare. Il devait y avoir une cabine à la gare. Il courut vers la rue d'Alsace. Hourra! Personne dans la cabine! Le monde était à lui. Sauf que là, quelqu'un avait eu l'amabilité extrême et la gentillesse de fournir ce renseignement utile: «EN PANNE». Il y avait des moments où Salah doutait d'être bel et bien sur cette terre, en plein XXe siècle. Et puis il eut une idée : « Quel idiot je suis ! Je n'ai qu'à aller à la poste ! »

Il arriva à la poste tel un pigeon voyageur qui connaît le chemin instinctivement. Il était sûr qu'ici tout irait bien, qu'il pourrait parler tranquillement. Il pourrait progresser à pas de géant dans son amitié. S'abandonner au plaisir d'avoir une amie à lui.

Sur la porte de la poste était inscrit en grandes lettres « FERMÉ ».

De retour chez lui, il n'eut d'autre solution que de se rabattre sur son livre, en s'apitoyant sur son propre sort.

5

Sarah, plus morose que jamais, relisait pour la
soixante et unième fois sa chasse aux mots:
atterrissage — deux t, deux r et deux s; terri-
toire — deux r; appareil — deux p; dommage
— deux m; hauteur; avarie; hélice; discus-
sion; désarroi — deux r; exécuter; vigueur;
coéquipier; manœuvre; alternative; désor-
donner; siffler; dune; environnante; sorti-
lège; prisonnier; fiévreusement... Les mots
tombaient dans sa tête comme de la grêle, des
mots sans vie, sans contexte — des mots qui
poussaient au milieu du désert de son cahier
de brouillon. Elle regardait de temps en temps
le téléphone que ses parents avaient fait installer dans sa chambre en lui disant: «Mainte-

nant que tu as des copains qui te téléphonent, il vaut mieux que tu puisses parler tranquillement.» Mais il était aussi muet que les mots dans son cahier. Depuis une semaine, Salah n'avait pas téléphoné.

Elle laissa tomber sa chasse aux mots pour se consacrer à sa rédaction. Le maître avait commencé à donner des sujets qu'il déclarait dignes d'élèves de sixième. Sarah se demandait souvent pourquoi il ne les laissait pas vivre en paix leurs derniers moments de la vie insouciante du CM2. Le sujet de la rédaction était: «Un personnage admirable». Elle n'eut pas à réfléchir longtemps – elle parlerait de pépé. Sa main poussait son stylo mais c'était son cœur qui dictait les mots.

Mon grand-père est l'homme le plus admirable que j'aie connu, celui que j'ai aimé le plus après mon père. C'était le père de mon père, né en Pologne.

Il était très pieux et très croyant en sa religion. Il est né dans une famille nombreuse. Ses parents et toute sa famille ont été déportés comme lui car ils étaient juifs. Mon pépé était électricien et, au camp de concentration, les Allemands l'ont fait travailler dans une petite pièce remplie de machines où l'atmosphère était étouffante. On ne lui donnait presque rien à manger. Il a résisté de longs mois. Mais finalement il est tombé gravement malade. Par une bienheureuse coïncidence pour lui, le secours est arrivé. Ils ont pu soigner les invalides et les délivrer.

Mon grand-père a toujours été un héros pour moi. Poursuivi par les nazis, jeté trois fois en prison, on lui a donné six médailles.

Il a participé à la construction et à l'embellissement de la synagogue de la rue Blacas. Il s'occupait de la tzedaka, l'aumône aux pauvres.

Avant sa mort, nous allions voir mes grands-parents tous les samedis. Il nous racontait des histoires dont j'étais l'héroïne. Un jour, il m'a dit que c'était lui qui construisait les tunnels. J'étais petite, et, depuis, chaque fois que je passe sous un tunnel, je me dis : « C'est pépé qui l'a fait. »

Des fois, le dimanche on allait à la campagne. Ma grand-mère attrapait des papillons et mon grand-père jouait à ce que je voulais.

Il était aussi très amusant et gai. Pour moi, il n'avait aucun défaut. Il pouvait être sérieux mais il aimait surtout blaguer. «Le rire porte plus loin que les larmes», disait-il.

Il est mort juste avant qu'Israël et l'Égypte fassent la paix. Sa mort a été un choc pour moi. Je suis sûre que, s'il y a un paradis, il y est.

Cette rédaction avait remué en elle de bien tristes pensées. Elle rangea son cartable pour le lendemain, enfila sa chemise de nuit et prit un livre. Elle regarda, sans espoir, le téléphone qui eut l'obligeance de sonner juste à ce moment-là. Elle répondit immédiatement:

– Allô.

– Sarah, c'est Salah.

– Je pensais que tu ne téléphonerais plus jamais.

Que répondre? Comment expliquer que ses parents avaient peur de cet appareil et ne voulaient pas qu'il s'en serve? Comment raconter cette longue semaine à épier le téléphone avec désespoir? Comment chanter sa joie de trouver aujourd'hui la maison sans sa mère et d'avoir conclu un marché avec ses frères et sœurs pour qu'ils ne racontent rien aux parents? Il choisit finalement la méthode la plus directe et lui expliqua tout. Sarah écoutait le récit de ses aventures avec les cabines, moitié amusée, moitié horrifiée.

— Voilà, dit Salah, maintenant, tu sais.

— Écoute, Salah, moi aussi j'étais triste de ne rien pouvoir faire. Donne-moi vite ton numéro et je m'arrangerai pour te téléphoner. Je dirai que c'est pour l'école.

Cette fois Salah lui donna son numéro. Ses parents seraient bien obligés d'accepter ses conversations. Ils étaient en France après tout.

— Quel est le meilleur moment pour appeler? demanda Sarah.

— Probablement après huit heures et demie, quand ils sont devant la télé, dit Salah. À part ça, quoi de neuf?

— Rien de spécial. Le persil commence à pousser. J'ai un téléphone dans ma chambre maintenant.

— Quelle chance! s'exclama Salah tout en essayant de faire taire ses frères et sœurs pour pouvoir entendre.

Il n'imaginait rien de plus commode qu'un téléphone dans sa chambre, appeler dans son lit, où il pourrait s'installer sous les couvertures et se laisser aller au plaisir de raconter, de bavarder.

— Et toi, demanda Sarah, quoi de neuf?

Il était temps qu'elle s'intéresse à lui, pensait-elle.

Il n'y avait pas grand-chose de neuf dans sa vie — ça faisait une semaine qu'ils étaient installés dans le nouveau quartier et c'était déjà de l'histoire ancienne. Mais il ne se sentait pas pour autant concerné par le proverbe

«Rien de neuf sous le soleil». Il estimait vraiment que chaque minute apportait la possibilité de voir, de découvrir, de comprendre, et que chacun portait un regard neuf sur le monde. Il songea à Anne Frank. Elle vivait avec ses parents et sa sœur, plus une autre famille de trois personnes, les Van Daan, et un homme seul, M. Dussel, dans une cachette. Elle n'avait pas pu sortir pendant deux ans. Deux ans avec les mêmes têtes, matin, midi et soir. Et elle trouvait des tas de choses passionnantes à raconter.

— Je suis en train de lire *Le Journal d'Anne Frank*.

Sarah fut surprise. Une tante lui avait offert ce livre pour son anniversaire, mais sa mère lui avait conseillé d'attendre pour le lire et elle ne s'en était plus préoccupée. Il faudrait qu'elle le cherche.

— C'est bien?

— Oui, c'est formidable! s'exclama Salah avec conviction.

– Ma mère préfère que je ne le lise pas encore. Elle dit que c'est trop triste.

– Je n'ai pas encore fini, mais ça se passe en pleine guerre. Elle a des tas de problèmes mais elle reste gaie et curieuse et réussit à voir les gens et le monde de manière rigolote. Elle continue à rire et du même coup sa vie n'est pas si terrible que ça. Tu veux écouter un passage?

– Oui, je veux bien, dit Sarah réticente, parce qu'elle ne savait pas si sa mère serait d'accord.

– Bon. Voici la page que je viens de lire, jeudi 11 novembre 1943. Tu verras, elle raconte une véritable histoire avec des petits détails. Écoute:

« *Ode à mon stylo-plume,* In memoriam. (Salah avait plus ou moins deviné ce que ça voulait dire.)

Mon stylo-plume a toujours été pour moi un objet précieux; je lui vouais le plus profond respect, surtout en raison de sa pointe épaisse, car je ne peux écrire tout à fait proprement qu'avec des pointes épaisses. Mon stylo a vécu une vie très longue et passionnante que je vais vous raconter brièvement :

Quand j'avais neuf ans, mon stylo-plume est arrivé dans un petit paquet (enveloppé de coton) en qualité d'"échantillon sans valeur", venu d'aussi loin qu'Aix-la-Chapelle, ville de ma grand-mère, la généreuse donatrice. J'étais couchée avec la grippe alors que le vent de février sifflait autour de la maison. Le glorieux stylo-plume était contenu dans un étui en cuir rouge et fut montré dès le premier jour à toutes mes amies. Moi, Anne Frank, la fière propriétaire d'un stylo-plume.

À l'âge de dix ans, j'ai pu emmener mon stylo à l'école, et là, la maîtresse m'a permis de m'en servir. À onze ans, cependant j'ai dû ranger mon trésor, car la maîtresse de la dernière classe de primaire n'autorisait que les porte-plume et les encriers comme outils d'écriture. Quand j'ai eu douze ans et que je suis entrée au lycée juif, mon stylo a reçu *à son plus grand honneur un nouvel étui, où pouvait se loger également un crayon et qui en plus faisait beaucoup plus vrai car il se fermait à l'aide d'une fermeture Éclair. À treize ans, je l'ai emporté à l'Annexe, où il a parcouru avec moi d'innombrables carnets et cahiers. À mes quatorze ans, mon stylo venait de passer sa dernière année avec moi et aujourd'hui… »*

— C'est vrai qu'elle écrit bien, dit Sarah, mais c'est triste quand on sait que, comme son stylo, elle va aussi mourir.

— Pourquoi ? demanda Salah affolé. Elle meurt ? Je n'ai pas encore lu la fin.

À ce moment-là, les parents de Salah entrèrent dans l'appartement. Craignant qu'ils ne le prennent en flagrant délit, il raccrocha sans même dire au revoir. Mais, distraits par les autres enfants, ils ne s'aperçurent de rien. Salah était très embêté de savoir qu'Anne Frank allait mourir, mais il ne voulait pas y croire. Il feuilleta le journal. À la fin, il découvrit l'épi-

logue où il lut qu'Anne mourut dans le camp
de concentration de Bergen-Belsen en mars
1945. Il eut l'impression de perdre une amie.

Dans la partie documentaire, Salah lut l'histoire de cette période, de plus en plus horrifié
par ce qui s'était passé. Il oublia Sarah, oublia
l'amour et ne pensa qu'à la haine qui pouvait
amener certaines personnes à commettre de
tels crimes. Il aida ses parents à ranger les provisions en essayant de cacher sa colère.

6

Sarah découvrit le livre sur une des étagères supérieures de sa chambre. Elle regarda bien les yeux de la fille sur la couverture en pensant: «Tiens, on se ressemble.» Elle lut jusqu'au dîner. À table, elle annonça à ses parents:

— J'ai commencé *Le Journal d'Anne Frank*.

Ses parents se dévisagèrent sans savoir que répondre. Ils auraient sans doute préféré que les livres du monde n'aient pas d'aussi tragiques récits à transmettre, et auraient été prêts à tout pour effacer dans les cahiers de Sarah les traces sanglantes de l'Histoire. Sa mère tenta sa chance:

— Tu peux attendre quelques années pour le lire.

Sarah déclara d'un ton ferme :

— Écoute, maman, je sais qu'Anne Frank est morte et je sais pourquoi elle est morte. Mais peut-être que si je lis ce livre, je comprendrai comment et pourquoi elle a vécu. Et même si je n'arrive jamais à comprendre pourquoi on l'a tuée, elle fera toujours partie de moi.

— Oui, tu as sans doute raison, acquiesça sa mère assombrie, lis-le. Ça fait partie de notre mémoire.

Ils finirent le repas dans un silence qui ressemblait à une prière.

Sarah monta dans sa chambre, fit sa toilette et s'installa au lit avec Anne Frank. Elle ouvrit le livre et lut la dédicace que sa tante avait écrite : «À Sarah née en mars, le mois de la mort d'Anne. »

Elle eut un choc. Ainsi elle est arrivée au monde peut-être le jour même où Anne était partie. Elle pensait en lisant qu'elle-même aurait pu être Anne, qu'elle était en réalité la fille d'Anne Frank. Elle lut jusqu'à ce que ses yeux se ferment.

Elle se réveilla le livre sur sa poitrine. Sarah se sentit éternellement liée à Anne. Elle le rangea immédiatement dans son cartable. Avant d'entrer en classe elle songea à Salah, et à quel point elle était contente qu'il l'ait trouvée dans les M.

La journée se déroula mieux que d'habitude. À chaque moment d'ennui, à chaque contrariété, elle grignotait quelques pages. Pendant les récréations, elle progressait dans sa lecture et même, faut-il l'avouer? elle lut en classe, pendant que le maître expliquait maths, grammaire et compagnie.

Elle aurait lu en marchant vers la maison après l'école, mais elle était pressée d'arriver. Elle ne goûta pas pour ne pas perdre de temps… Elle dévora les pages jusqu'à ce qu'elle tombe sur un passage qui la força à composer le numéro de Salah.

Quand le téléphone sonna dans l'appartement de Salah, tout le monde sursauta. La mère de Salah eut l'air épouvanté. Salah répondit avec assurance :

— Bonjour, ici c'est Salah.

Quel soulagement pour Sarah de n'être pas obligée de négocier pour qu'on lui passe Salah !

— Qui c'est ? chuchota la mère de Salah, affolée. Qu'est-ce qu'ils veulent ?

— C'est Sarah. Tu peux parler ?

— Attends une seconde, dit Salah. Maman, c'est rien. Juste un camarade qui me téléphone. Ça se fait en France. Ne t'inquiète pas, expliqua Salah.

Sa mère recula, apaisée semblait-il. Salah se laissa tomber par terre, ses fesses en appui sur ses pieds.

— Comment tu vas ?

Il ne voulait pas dire son nom. Ce n'était pas la peine qu'on sache que c'était une fille.

— Ça va ! s'écria Sarah, heureuse de savoir qu'elle avait le pouvoir magique de téléphoner à Salah. Je voulais te dire que tu m'as donné envie de lire *Le Journal d'Anne Frank*, et je suis d'accord avec toi, ce n'est pas aussi triste qu'on le croit. Écoute : « *Richesse, considération, on peut tout perdre, mais ce bonheur au fond du cœur, il ne peut guère qu'être voilé, et il saura nous rendre heureux aussi longtemps que l'on vivra. [...] Tant que tu pourras contempler le ciel sans crainte, tu sauras que tu es pur intérieurement et que malgré les ennuis tu retrouveras le bonheur.* »

— C'est beau ! dit Salah, triste quand même à l'idée qu'Anne Frank n'avait pas eu l'occasion de lever ses yeux vers le ciel pendant longtemps. Qu'est-ce qu'elle serait devenue ? demanda-t-il, rêveur.

— Elle aurait eu le prix Nobel de littérature, c'est sûr ! affirma Sarah.

— Elle aurait peut-être écrit des livres extraordinaires ! reprit Salah. Attends, je veux te lire quelque chose aussi...

La mère de Salah s'approcha :

— Qui sait ? Qu'est-ce qu'il veut ?

— C'est pour une leçon, maman, ne t'en fais pas.

Il reprit le téléphone :

— Écoute comme c'est bizarre. Elle se doutait presque que son livre était important. Je lis : « *Mercredi 29 mars 1944.*

Chère Kitty,

Hier soir, le ministre Bolkesteyn (Salah n'était pas sûr de sa prononciation) *a dit sur Radio Orange qu'à la fin de la guerre, on rassemblerait une collection de journaux et de lettres portant sur cette guerre. Évidemment, ils se sont tous précipités sur mon journal.*

Pense comme ce serait intéressant si je publiais un roman sur l'Annexe (il sauta une phrase qu'il ne comprenait pas). *Non, mais sérieusement, environ dix ans après la guerre, cela fera déjà sûrement un drôle d'effet aux gens si nous leur racontons comment nous, juifs, nous avons vécu, nous nous sommes nourris et nous avons discuté ici. Même si je te parle beaucoup de nous, tu ne sais que très peu de choses de notre vie.* »

– Je n'en suis pas encore là, déclara Sarah, songeuse. Alors elle a imaginé l'avenir de son livre mais pas celui de sa propre vie? Et tu sais ce que ma tante m'a dit? Il paraît que le *Journal* est traduit dans presque toutes les langues.

– Même en arabe? pensa Salah à haute voix, bien qu'il ne sache pas lire l'arabe.

– Sûrement, affirma Sarah.

Salah avait une question brûlante à poser.

– Dis-moi (il espéra que sa mère ne l'écoutait pas), tu es juive, toi?

Il ne savait pas vraiment en quoi ça consistait, sauf qu'il y avait un malaise dans le mot. Il était un peu gêné de le prononcer. Il devinait que, comme «arabe», «juif» n'était pas catholique et il n'était même pas sûr que «juif» fût français.

Sarah, elle non plus, ne savait pas trop ce que c'était qu'être juif, sauf qu'elle l'était... parce que ses parents l'étaient avant elle, et ses grands-parents, et ses ancêtres qu'elle ne connaissait pas. Et s'il lui avait demandé: «Tu es une fille ou tu es un être humain, toi ?» elle n'aurait pas su mieux répondre.

— Oui, répondit-elle, se sentant un peu coupable.

Salah était bien embêté. Il ne savait plus comment continuer la conversation. Sarah non plus. Et le téléphone se tut un long et pénible moment. Puis Salah trouva et éclata :

— Ben, tu as de la chance d'être comme Anne Frank.

— Tu appelles ça de la chance... rétorqua Sarah.

Salah, vraiment perplexe, lui demanda, à elle qui semblait savoir tant de choses :

— Mais qu'est-ce que c'est exactement, être juif ?

Sarah réfléchit un bon moment. Dans sa tête défilaient des images. Elle entendait les chansons de pépé, le kiddouche : la bénédiction du vin. Il posait la main sur sa tête pour la bénir aussi. Elle sentait encore les doigts de pépé sur ses cheveux.

— Je ne sais pas comment te répondre. Je peux te dire ce qu'on fait.

— Quoi? encouragea Salah.

— Ben, par exemple, chaque année on fête l'anniversaire des arbres.

— C'est quand, l'anniversaire des arbres? demanda Salah, étonné par une telle nouvelle.

— À la fin de l'hiver.

— C'est bien, parce que c'est important, un arbre, la maîtresse le dit tout le temps.

— On m'a raconté une histoire sur un vieillard qui a planté un caroubier. Un passant lui a demandé: «Vous savez qu'il faut soixante-dix ans avant qu'un tel arbre donne des fruits? Êtes-vous sûr que vous vivrez encore soixante-dix ans pour manger les fruits de cet arbre?» Et le vieillard lui a répondu: «J'ai trouvé ce monde bien fourni en caroubiers. Comme mes ancêtres plantèrent pour moi, je plante les arbres pour mes enfants.»

— C'est sympa, l'interrompit Salah, de ne pas être égoïste.

– Puis le passant est tombé dans un sommeil profond. Il a dormi pendant soixante-dix ans. Quand il s'est réveillé, il a vu un homme qui ramassait les fruits et les mangeait. Le passant lui a alors demandé : «Savez-vous qui a planté cet arbre? – Mon grand-père», répondit l'inconnu.

– Qui t'a raconté cette histoire? demanda Salah qui avait l'impression de la connaître déjà.

– Je l'ai lue dans un livre de légendes juives.

– Si j'avais un jardin, je planterais aussi des arbres. Comment va le persil?

– Ça pousse, répondit Sarah.

– Gare à toi, ça va t'envahir.

– Ne t'inquiète pas. Et dis-moi un peu maintenant, qu'est-ce que c'est d'être arabe?

Salah se rappela le livre que son père lui avait montré et qu'il lisait chaque jour. Salah, lui, ne pouvait pas le déchiffrer et connaissait seulement quelques prières par cœur.

– On a un livre qui s'appelle le Coran.

— Nous aussi, mais c'est la Bible. Dis-moi quelque chose en arabe, continua Sarah.

— *La ilaha illa Allah.*

— Qu'est-ce que ça veut dire ?

— « Il n'y a d'autre Dieu qu'Allah. » Et toi, tu sais donc parler hébreu ?

— Pas vraiment. *Shema yisraël adonai elohenu adonai echad*, récita Sarah.

— C'est quoi ?

— « Écoute Israël, l'Éternel est notre Dieu, l'Éternel est un. »

— Si on savait lequel est le bon avec tous ces dieux... soupira Salah.

— Avec un peu de chance, c'est le même, déclara Sarah...

Salah aimait bien cette idée, mais il espérait que, quel que soit le dieu, il célébrerait toujours l'Aïd-el-Kébir, sa fête préférée.

Salah serait bien resté au téléphone avec Sarah pendant quarante jours, mais sa mère avait l'air d'écouter de plus en plus attentivement.

— On se téléphone demain ? Je t'expliquerai. Je ne peux plus parler maintenant.

— Et moi, si tu voyais les devoirs qu'il nous a donnés aujourd'hui, ce chameau. J'en ai pour trois heures.

— Dis-lui que tu étais malade, suggéra Salah.

— Mais ensuite j'en aurai le double. Allez, à demain.

— Au revoir, dit Salah. Courage.

— Merci. Au revoir. Toi aussi.

Salah se leva rapidement, essayant ainsi d'éviter les questions de sa mère. Il ouvrit le cartable et sortit un livre. Sa mère, ne sachant pas quel reproche lui faire, ne lui dit rien. Salah savait qu'elle n'était pas très heureuse ici. Ses amies — les femmes de l'ancien quartier — étaient loin. Elle n'avait plus personne avec qui parler des malheurs et des bonheurs quotidiens. Pourvu qu'elles installent le téléphone chez elles...

Sarah fit ses devoirs tel un robot pro-
grammé. Bon débarras. Elle était d'excellente
humeur après avoir partagé un peu d'elle-
même avec celui que le téléphone avait fait
pénétrer dans la chambre secrète de son cœur.

7

Un autre passage du *Journal d'Anne Frank* fit
germer en Salah une idée à laquelle il n'avait
pas encore pensé.

Le 16 avril 1944, Anne reçoit son premier
baiser de Peter Van Daan :

*« Il me serrait fort contre lui, mon sein gauche
touchait sa poitrine, mon cœur battait déjà, mais
nous n'en avions pas fini. Il ne s'est tenu tranquille
que lorsque j'ai eu la tête posée sur son épaule, avec
la sienne par-dessus. Quand je me suis redressée,
au bout de cinq minutes environ, il m'a vite pris la
tête dans ses mains et l'a remise contre lui. Oh,
c'était tellement délicieux, je ne pouvais pas beaucoup parler, le plaisir était trop grand. Il caressait
un peu maladroitement ma joue et mon bras, tripo-*

tait mes boucles et la plupart du temps nos deux têtes étaient serrées l'une contre l'autre.

La sensation qui me parcourait à ce moment-là, je ne peux pas te la décrire, Kitty, j'étais trop heureuse et lui aussi, je crois. »

En lisant ce paragraphe, Salah se dit que c'était bien beau de parler au téléphone, mais les baisers ne passent pas par le fil. Il commençait à avoir réellement envie de voir la tête et le corps qu'habitait la voix de Sarah. À quoi ressemblait-elle ? Elle était sûrement très belle. Ils pourraient sortir se promener sur le boulevard Bender le mercredi ou le dimanche après-midi. Salah imaginait qu'ils étaient assis tout près l'un de l'autre, sur un banc, en train de parler de leurs vies, de leurs secrets, de leurs projets, de leurs lectures, de leurs plantations. Il lui prendrait la main et ils iraient jouer au ping-pong dans le jardin de Sarah. Il l'aiderait à faire pousser les plantes du potager. Ensuite elle l'aiderait à apprendre tout ce qu'il faut savoir pour entrer en sixième. Et même un jour, qui sait, elle viendrait regarder la télé chez lui...

Il lui téléphona.

— Allô, dit-elle.

— Dis-moi, chuchota Salah pour que personne ne l'entende chez lui, tu veux qu'on se promène mercredi?

Sarah ne s'attendait absolument pas à une proposition pareille. Mais pas du tout! Bien sûr, elle était curieuse et désirait vraiment rencontrer Salah, mais quelque chose la retenait. Elle avait peur. «Bon, dans le fond je ne suis pas un monstre, se dit-elle, à part ces sacrés seins, mais peut-être qu'il n'aimera pas ma tête, qu'il trouvera que j'arrondis trop mon dos et remarquera que je joue avec mes cheveux...» Elle préférait que ça continue comme ça. Le téléphone vous accepte tel que vous êtes.

— Non, mercredi je suis prise, déclara-t-elle.

Salah se demanda pourquoi quelque chose en lui disait: «Ouf!» Il avait peur aussi.

— Bon, ben, une autre fois, alors.

— Oui, on verra, promit Sarah. Avec tout le travail que j'ai, je ne m'en sors pas.

— On en parlera plus tard, balbutia Salah, craignant d'avoir été trop loin. C'est bien qu'on puisse se téléphoner quand on veut, maintenant. Mes parents ont compris que c'est une habitude ici, alors ils me laissent faire.

— Mes parents disent que c'est une bonne idée de parler au téléphone. Ça nous prépare pour la vie adulte. Ça encourage les relations sociales, déclara Sarah en reprenant les propos de sa mère.

— On est amis, Sarah, n'est-ce pas? demanda Salah qui n'imaginait plus se passer de leurs conversations téléphoniques.

Sarah se remémora la longue période au cours de laquelle elle avait manqué d'amis. C'était si différent, maintenant. Elle observait mieux les choses pour pouvoir les raconter et elle lisait avec une attention redoublée. Partager une pensée, une idée, un souvenir, une impression la faisait vivre deux fois plus intensément.

— Oui, on est amis, répondit-elle.

Rassuré, Salah la questionna :

— Qu'est-ce que tu as fait aujourd'hui ?

— On a joué au handball contre une autre classe.

Le maître lui disait ces derniers temps qu'elle progressait en gym. Elle était devenue gardienne de but de l'équipe.

— C'est un tournoi — le gagnant joue la semaine prochaine.

— Vous avez gagné ?

— Non, on a perdu deux à zéro.

Sarah était revenue à la maison après le match en se disant : «Si seulement je pouvais recommencer cette journée.» Elle était sûre qu'elle n'aurait pas laissé passer ces buts une deuxième fois. Elle était très déçue et fatiguée. Elle voulait se coucher à cinq heures et demie sans dîner, tellement elle était lasse.

Soudain elle se rappela une phrase affichée dans le bureau d'une collègue de sa mère et elle récita à voix haute :

— «Chaque matin de chaque nouvelle journée est le début du reste de votre vie.»

— Pourquoi tu dis ça? demanda Salah.

Sarah n'avait pas envie de s'expliquer aujourd'hui, ni de parler à qui que ce soit... même pas à Salah. Elle aurait préféré se cacher. Mais elle ne voulait pas être impolie.

— J'étais en train de penser que j'aimerais recommencer cette journée. Je ne sais pas pourquoi, mais j'avais terriblement envie de gagner ce match pour jouer encore la semaine prochaine. Maintenant on est éliminés, c'est fini.

— Il y aura d'autres parties de handball, d'autres tournois, non? C'est pas la peine de regretter d'avoir perdu ce match, insista Salah.

— Je ne sais pas, pleurnicha Sarah. C'est comme pour le bac scientifique. Papa dit que si on ne réussit pas ce bac-là, on devient un raté. Enfin, ce ne sont pas exactement ses mots, mais c'est l'idée.

Salah ne put s'empêcher de s'écrier au téléphone :

— C'est idiot, il n'y a quand même pas que le bac scientifique dans la vie !

Sarah n'en revenait pas. De quel droit traitait-il son père d'idiot ? De quel droit criait-il ainsi ? Il était fou, ou quoi ? Elle n'accepterait pas qu'on dise du mal de son père. En plus, ça retombait sur elle, puisqu'elle était sa fille. Si c'était ça l'amitié, elle préférait rester enfermée dans sa chambre avec un bouquin. Elle débrancherait le téléphone pour toujours. Pour l'instant, elle raccrocha brusquement et elle débrancha seulement l'amitié.

Salah ne comprit pas ce qui lui arrivait. Mais il se rendit compte que le téléphone pouvait aussi donner des claques. Il rougit et se mit à trembler. «Que s'est-il passé, se demanda-t-il, est-ce que j'ai tout cassé?» Et puis, en colère: «Mais c'était pas la peine de raccrocher comme ça! C'est pas parce qu'on crie qu'on n'est pas amis!»

— Merde alors! dit-il à haute voix.

Les mots étaient venus sans qu'il s'en aperçoive, il ne disait jamais de gros mots, du moins pas devant ses parents. Son père le saisit par le bras avec sa main gauche, et avec la droite lui lança deux énormes gifles, une sur chaque joue. Salah devint rouge pour de bon et son moral tomba plus bas que terre. Il faillit pleurer, mais il pensa à quelque chose qu'il venait d'entendre: «Si seulement je pouvais recommencer cette journée...»

8

Sarah se leva avec difficulté en se rappelant le slogan : «Chaque matin de chaque nouveau jour est le début du reste de votre vie.» Ça faisait une semaine, et même plus, que le téléphone était muet. Tout était sinistre, les maths, le français, les stagiaires, la cantine et même les activités d'éveil. Elle ne trouvait plus rien de drôle à raconter au sujet de ses journées monotones. Elle regarda le téléphone. «Si on s'était écrit des lettres, pensa-t-elle, j'aurais pu les relire maintenant.» Le téléphone, c'est de l'air et la parole ce ne sont que des vagues dans l'air.

Au petit déjeuner, sa mère lui posa justement la question qu'elle ne voulait pas entendre :

— Pourquoi ne parles-tu plus au téléphone, ma chérie?

«Parce que je ne dis que des bêtises. Parce qu'il est fou. Parce que le téléphone ne sonne plus», répondit Sarah dans sa tête.

— Je ne sais pas, maman. Combien de gens y a-t-il dans l'annuaire? demanda-t-elle, pour détourner la conversation.

— Alors ça... dit sa mère.

— Je devrais pouvoir trouver au moins une personne pour parler avec moi, si je téléphonais au hasard.

Tout d'un coup, son père se réveilla.

— Quand j'avais ton âge, on faisait des concours de téléphone avec des copains. Le gagnant était celui qui arrivait à parler le plus longtemps avec quelqu'un choisi au hasard dans l'annuaire.

— Quel culot! dit Sarah. Et qui a gagné?

— C'était moi le champion. À cause d'une dame sans doute âgée qui m'a laissé jouer le jeu jusqu'au bout.

— Qu'est-ce que tu lui as raconté?

— J'ai composé le numéro. Elle a répondu: «Bonsoir…» J'ai dit «Bonsoir, madame. Vous avez un moment? J'aimerais vous lire une histoire, s'il vous plaît.» Elle a accepté: «Bien, allez-y…» Et j'ai lu tout un livre sur l'Arche de Noé pour elle. Elle écoutait gentiment et elle m'a donné ainsi la conversation la plus longue de l'histoire de notre concours. Cinquante-trois minutes quarante-sept secondes.

— Et après? Tu lui as expliqué? demanda Sarah.

— Quand j'ai fini l'histoire, je l'ai remerciée de sa patience. Elle m'a répondu que ça avait été un grand plaisir pour elle. Il faut avouer que je lisais bien.

— Et puis?

— Et puis on a échangé nos bonsoirs et j'ai toujours regretté de ne pas l'avoir rencontrée, cette brave dame, de ne pas avoir retenu son nom pour lui apporter des fleurs, pour voir son visage. J'ai souvent pensé à elle.

Le jeu du téléphone de son père était amusant, mais Sarah n'avait pas tellement envie de l'essayer. Elle voulait parler sérieusement.

— Et si on faisait ça sans le téléphone? On arrête un passant parmi la centaine qu'on croise dans la rue et on dit: «Arrêtez-vous! J'aimerais vous parler. Halte! Je cherche un ami...»

— On te prendrait pour une folle, déclara sa mère.

— Peut-être même que les gens appelleraient la police, renchérit son père.

— Alors, comment trouver un ami? demanda Sarah d'un air triste. Avec tous ces gens dans le monde, sur cette terre, dans cette ville, comment trouver celui qui peut devenir un ami?

— C'est une question de chance, de hasard, de circonstances, expliqua sa mère gentiment.

Son père ajouta:

— C'est peut-être de la magie, de la chimie. C'est merveilleux quand ça arrive. L'amitié, c'est un effort constant. Il faut que chacun y mette du sien pour que ça marche. Il y a un proverbe qui dit: «Celui qui cherche un ami sans défauts restera sans amis.»

Sarah réfléchit. Salah s'était énervé, mais ça ne signifiait pas qu'il ne voulait plus être son ami. Elle décida de l'appeler.

— Il est quand même bizarre que quelque chose d'aussi simple et évident qu'un ami ne soit pas simple du tout.

— Oui, ma chérie, acquiesça sa mère, tu as raison et c'est vrai pour beaucoup de choses qui ont l'air évidentes.

— C'est peut-être pour ça, s'exclama Sarah comme sous l'effet d'une révélation, que tant de gens ont des chiens.

Sarah tournait autour du téléphone mais elle n'arrivait pas à soulever le combiné. «Peut-être qu'il ne veut plus parler avec moi.» Puis elle prit son courage à deux mains et décida d'appeler... le lendemain.

Elle pensa à Salah. Il ne lui avait pas dit grand-chose sur ce que c'était qu'être arabe et elle avait très envie d'en savoir plus. Elle partit à la bibliothèque passer ce mercredi grisâtre à chercher un livre sur l'islam.

Le livre qu'elle choisit était simple et clair. Elle lut avec intérêt la vie de Mahomet qui était chef de la religion de Salah.

Mahomet n'avait pas eu une enfance heureuse. Son père était mort peu de temps avant sa naissance. Puis sa mère l'avait confié à une nourrice bédouine qui l'avait amené dans le désert. C'est là qu'il avait grandi. Sa mère était morte, suivie de son grand-père. À huit ans, il était orphelin. Sarah s'étonna que même avec une malchance pareille il ne se soit pas découragé. «Il a du cran», estima-t-elle.

Quelqu'un lui tapa soudain sur l'épaule. Alarmée, elle se retourna et découvrit Maryse. Surprise de trouver Maryse, normalement peu attirée par les livres, elle lui demanda ce qu'elle faisait à la bibliothèque.

— Je prépare mon exposé sur l'énergie solaire, et toi?

— Je lis un livre sur Mahomet.

— Ça me dit quelque chose. Qui c'est déjà?

— On l'appelle aussi Mohammed ou Muhammad. Il a fondé la religion musulmane.

— Ah, oui. Je ne sais plus qui m'en a parlé.

Connaissant Maryse, Sarah lui apprit :

— C'est lui qui a dit: «N'épousez pas pour la seule beauté...»

— J'espère que mon mari sera beau quand même. Et toi?

Sarah pensa aux hommes qu'elle connaissait. Ils n'étaient pas toujours ce qu'on appelle «beaux», mais elle les aimait.

— Je ne sais pas. Pas forcément très beau. Ça marche ton exposé?

— Bof! Raconte-moi plutôt ce que tu lis. Il paraît qu'il y a des musulmans dans notre école. Maman pense que c'est un scandale, mais je n'ai jamais compris exactement pourquoi.

— Ce sont eux qui ont répandu la culture grecque en Europe. Ils étaient très forts aussi en sciences, surtout en arithmétique. Ils ont pratiquement découvert l'algèbre. Les chiffres que nous utilisons sont des chiffres arabes.

— Tu fais un exposé? l'interrompit Maryse.

— Non.

— Alors pourquoi tu lis ça?

— J'ai un ami arabe et ça m'intéresse.

Maryse écarquilla les yeux.

— Sarah Mayer! Tu as vraiment un ami arabe? Ma mère ne serait jamais d'accord. Elle dit qu'ils sont sales et que j'attraperai des poux si je les fréquente.

Sarah était certaine que ce n'était pas vrai, que Salah n'était pas sale. Elle voulait absolument convaincre Maryse. Elle avait justement lu un chapitre dans lequel il était expliqué que les musulmans avaient eu de grands médecins et chirurgiens et avaient introduit l'usage des hôpitaux en Europe. Elle fit part de ce qu'elle avait appris à Maryse.

— Vraiment, s'étonna Maryse, et quoi d'autre?

— Je ne t'ennuie pas avec ça?

— Non, non, vas-y, l'encouragea Maryse. Je dirai tout ça à ma mère.

— Ils croient en un seul Dieu comme les autres et ils prient cinq fois par jour. Ils jeûnent aussi, quelquefois.

— Quelle horreur! Je n'aimerais pas ça, grogna Maryse.

— Pendant le mois de ramadan, ils n'ont pas le droit ni de manger ni de boire de l'aube jusqu'au coucher du soleil.

— Même les enfants?

— Je crois que c'est seulement à partir de douze ans, mais je ne suis pas sûre.

— Il est né quand ton Mahomet?

— En 570 ou 580. Il est mort vers cinquante ans après avoir combattu pour faire connaître sa religion.

— Je lirai peut-être le livre quand tu l'auras fini. Je le donnerai plutôt à ma mère. Bon, c'est pas comme ça que je finirai mon exposé. À demain.

– À demain. Bon courage, souhaita Sarah en se replongeant dans son livre.

Elle adorait les livres d'histoire. Découvrir ce que faisaient les hommes plus de mille ans auparavant la fascinait. Elle aurait aimé comprendre les raisons de toutes les guerres et des événements du passé. Si elle étudiait à fond le passé, peut-être trouverait-elle un remède pour l'avenir. Elle aurait préféré consacrer son temps à l'histoire plutôt qu'aux maths et à la physique. Mais comment faire avec un père qui n'a que le bac scientifique dans la tête?

D'après le livre, quand Mahomet avait trente-cinq ans, le temple de sa ville fut détruit par les pluies torrentielles et il aida à le reconstruire avec toute la population. Dans ce bâtiment sacré, une pierre noire, considérée comme ayant été apportée du Paradis par Adam, marqua le point de départ des processions.

Pour résoudre le problème de la désignation de celui qui aurait l'honneur de poser la pierre sacrée, Mahomet suggéra : « Posons la pierre au milieu d'un grand châle ; chaque chef de tribu tiendra une extrémité de ce châle et la pierre sera ainsi portée collectivement à la place qu'elle doit occuper. »

Sarah trouva cette idée très astucieuse. « Ce serait plus juste à l'école quand il faut apporter le cahier d'appel au directeur. Comme ça, plus d'enfants profiteraient du plaisir de sortir de la classe. »

Sarah lut pendant un long moment. Elle remplit son cahier d'informations passionnantes. Elle étudia les cinq piliers de l'islam, puis les traditions liées aux grands événements de la vie d'un musulman : la naissance, la circoncision, l'enfance et la charité, les études, la prière, l'adolescence.

Seul le mariage lui semblait un peu bizarre. Selon le Coran, l'homme musulman avait le droit d'avoir plusieurs épouses (jusqu'à quatre), à condition toutefois qu'il soit capable d'assurer le même niveau de vie à chacune et de ne pas faire preuve de favoritisme. Sarah pensa à son père qui tempêtait contre un certain Rabbi Gershom qui avait interdit au Moyen Âge la polygamie chez les juifs. Chaque fois qu'il se fâchait contre sa mère, il maudissait ce pauvre Rabbi Gershom. Quant à Sarah, elle le félicitait au contraire: «Je n'aimerais pas partager mon homme avec trois autres femmes.»

Sarah était perdue dans les dates et les coutumes de l'islam quand la bibliothécaire lui tapa gentiment sur l'épaule.

– On ferme!

Sarah rangea le livre et sortit de la bibliothèque, place de la Libération, sans regarder autour d'elle. Complètement absorbée dans ses pensées, elle rentra chez elle sans savoir que Salah la suivait.

Salah rôdait autour du téléphone depuis plus qu'une semaine. «Vas-y, espèce de poule mouillée, marmonnait une voix en lui, recommence, téléphone-lui.» Mais il n'arrivait pas à se décider pour de bon. Son amour-propre l'arrêtait: elle n'avait pas besoin de raccrocher comme ça! Puis il se souvenait combien il avait été bête de s'énerver. «Bon, tant pis, je téléphone.» Il prenait alors le combiné, commençait le numéro et puis laissait tomber au milieu. «Je téléphonerai demain», se dit-il finalement.

Salah n'était pas en forme, lui qui d'habitude ne voyait que le côté gai des choses et de la vie. Il n'avait plus d'appétit, plus envie de regarder la télé, plus envie d'embêter ses frères et sœurs.

— On n'aurait jamais dû quitter notre ancien quartier, soupira son père.

— Cela allait mieux avant, ajouta sa mère.

Il lui restait un plaisir cependant: se plonger dans de nouveaux livres. Il allait souvent à la bibliothèque. «Je vais essayer de lire quelque chose sur les juifs avant de téléphoner à Sarah demain», se promit-il en ce mercredi maussade.

Il entra à la bibliothèque de la place de la Libération, il s'y sentait comme chez lui à présent. Il y avait beaucoup de monde. Il jeta un coup d'œil circulaire pour voir s'il connaissait quelqu'un, mais ne reconnut personne. Il n'eut aucune difficulté à trouver un livre sur l'histoire du peuple juif.

Il lut attentivement. Il en fallait de la patience, car l'histoire juive avait commencé voilà si longtemps que le livre était très épais. Il fut d'abord sidéré d'apprendre que pour Sarah ce n'était pas l'an 1983 mais l'an 5743. Il se souvint d'avoir entendu ses parents dire que pour les musulmans l'Histoire avait commencé en 622... ils appelaient ça l'Hégire... Il calcula, ça faisait donc 1361 ! Il rit tout seul en imaginant que lui était encore au Moyen Âge alors que Sarah avait dépassé deux fois l'an 2000 !

En continuant, il découvrit que l'histoire d'Abraham ressemblait à celle de Mahomet.

Tous deux voulaient que les gens croient en un seul Dieu au lieu de prier devant une foule de statues en terre. Ils avaient eu l'un et l'autre beaucoup de mal à convaincre leur peuple. Salah trouvait qu'ils avaient raison de vouloir prier un Dieu unique. «Ça économise du temps», songea-t-il.

Le livre retraçait les générations : Abraham, Isaac, Jacob. Dieu changea le nom de Jacob en Israël (qui veut dire «Celui qui affronte Dieu»). Jacob ou Israël eut douze fils qui formèrent les douze tribus d'Israël. Ils allèrent s'installer en Égypte mais ils le regrettèrent ensuite parce que leurs affaires tournèrent mal et ils devinrent esclaves du pharaon, le chef des Égyptiens.

Un homme du nom de Moïse les délivra. (En fait, Dieu lui donna un bon coup de main en envoyant dix plaies aux Égyptiens et puis en séparant la mer Rouge en deux pour qu'ils puissent passer à pied; une fois que les juifs furent de l'autre côté, au sec, Dieu referma la

mer sur les soldats du pharaon qui les poursui-
vaient. Naturellement, ils furent noyés.) «Tant
pis pour eux», se dit Salah. Il n'aimait pas les
gens qui en utilisaient d'autres comme esclaves.

De l'autre côté de la mer Rouge, les juifs
se retrouvèrent en plein désert et ce n'était
pas facile, mais Dieu leur promit de les rame-
ner et de veiller sur eux pendant qu'ils traver-
saient le désert. Au milieu du chemin vers la
Terre promise, il leur imposa les Dix Commandements. Salah connaissait bien cette histoire parce qu'il l'avait vue à la télé. Il écrivit
ces Dix Commandements sur son cahier.
«On ne sait jamais – ça peut toujours servir»,
pensa-t-il. Il utilisa du papier brouillon alors
que Moïse s'était servi de pierres:

Je suis le Seigneur ton Dieu.

Tu n'auras pas d'autres dieux que moi.

*Tu ne feras pas d'image taillée ni aucune figure
de ce qui est dans le ciel.*

*Tu ne prononceras pas en vain le nom du Sei-
gneur Dieu.*

Souviens-toi du jour du Sabbat pour le sancti-
fier. (C'était ça, l'histoire du samedi de Sarah.)
Honore ton père et ta mère.
Tu ne tueras pas.
Tu ne voleras pas.
Tu ne convoiteras pas le bien des autres.
Tu ne porteras pas de faux témoignage contre
ton prochain.

«Finalement, pensa Salah, toutes les religions se ressemblent.»

Salah lut beaucoup sur l'histoire juive. Il y avait le roi Salomon, le roi David et puis les prophètes. Il y avait deux temples, tour à tour détruits par les Babyloniens et les Romains.

«Pourquoi ces guerres, ces envahisseurs, ces conquêtes? se demanda Salah. Pourquoi les hommes ne se fichent-ils pas la paix?»

Les juifs furent un jour obligés de quitter de nouveau leur pays et se dispersèrent un peu partout dans le monde. Ils emportèrent avec eux ce livre dont Sarah parlait, la Bible, qui s'appelait la Torah. Il représentait comme un morceau de leur patrie. C'est pour ça qu'on les nommait le «peuple du Livre».

Et puis ils avaient eu pas mal d'ennuis partout. (Ahuri, Salah avait lu que, sous les nazis, six millions de juifs avaient péri.) En 1948, les juifs étaient finalement retournés en Israël. On parlait l'hébreu là-bas.

Et là-bas aussi, il y avait des problèmes.

Salah concentra son attention sur les pages concernant la vie quotidienne. Il fut étonné d'apprendre que, comme lui, les juifs ne mangent pas les mêmes choses que les autres Français. Quand il reparlerait à Sarah, il aurait l'air savant en lui demandant si elle mangeait cachère.

Pour manger cachère, il ne faut pas manger la chair des mammifères qui n'ont pas le sabot fendu et qui ne sont pas ruminants. Il est interdit de manger du porc («Moi non plus, je ne mange pas de porc!»), du chameau, du chien ou du cheval; et aussi certains oiseaux. Un poisson doit avoir à la fois des nageoires et des écailles pour être cachère. On évite aussi crudités et fruits de mer et l'on ne sert jamais du lait ou des fromages après ou avec la viande. Salah trouvait ces règles très compliquées.

Il lut jusqu'à ce que son amie bibliothécaire lui fasse signe que c'était l'heure de la fermeture. Il sortit de la bibliothèque tellement plongé dans ses pensées qu'il ne remarqua pas que Sarah marchait juste devant lui.

9

Salah composa le numéro de Sarah. Occupé.
Il recommença. Occupé. Il répéta le numéro
une douzaine de fois, mais chaque fois cela
sonnait occupé et chaque fois son réservoir de
courage se vidait un peu plus. «Elle a trouvé
un autre ami, un point c'est tout», se dit-il.

Sarah n'arrêtait pas de téléphoner à Salah.
Sans succès. «Il parle avec quelqu'un d'autre.
Il s'est dit: «Une de perdue, dix de retrou-
vées, voilà!» Lorsque son téléphone se mit à
sonner dans sa chambre douillette et bien ran-
gée, elle décrocha sans enthousiasme.

— Allô.

— Sarah, c'est moi, Salah. J'essaie de te téléphoner depuis un siècle mais c'est toujours

occupé. Est-ce que tu veux encore parler avec moi après l'autre jour? J'ai dit n'importe quoi… mais j'étais en colère…

Sarah ne revenait pas de la gentillesse et l'humilité de Salah. Comme si lui seul était le responsable de tous les torts, alors qu'il faut deux idiots pour commencer une dispute!

— Salah, c'est vraiment chouette que tu appelles. Ce n'était pas très malin de ma part de raccrocher. Ça fait une heure que j'essaie de te téléphoner. Qu'est-ce que tu es bavard alors!

— Je ne bavardais pas. On a juste essayé de se téléphoner en même temps. C'est drôle.

Sarah voulait qu'il sache qu'elle regrettait d'avoir coupé:

— Je suis désolée, Salah, d'avoir été si dure.

— Non, c'est ma faute… Et puis dans le fond, ça n'a pas d'importance. J'ai beaucoup pensé à toi, tu m'as manqué. Ça arrive à tout le monde de se disputer de temps en temps. C'est comme de la pluie. Les disputes arrosent l'amitié et l'aident à pousser. Tu connais des gens qui ne se disputent pas?

— Je ne connais pas beaucoup de gens. Ma tante et mon oncle se disputent sans arrêt. Ce n'est pas la pluie mais le déluge, dit Sarah.

— Ils ont alors l'amitié aussi fertile qu'une oasis, déclara Salah.

— Tu es drôle, toi, s'exclama Sarah. Moi, je préférerais vivre aussi paisiblement que deux colombes, sans se bousculer, sans se fatiguer. Ma tante est toujours fatiguée par la dernière dispute. Et elle pleure beaucoup.

— Oui, mais les colombes sont des animaux et, nous, on est des êtres humains, on est nés avec les disputes incorporées. La colère, l'impatience, la tristesse sont déjà là-dedans à attendre le bon moment pour se manifester. C'est comme une allumette qui dort tant que tu ne l'allumes pas.

— Je suis certaine que ça peut se passer autrement, dit Sarah, beaucoup moins sûre qu'elle ne l'affirmait.

— Il n'y a pas de raison que ça se passe autrement, rétorqua Salah, parce que si tu racontes des bêtises, j'ai le droit d'être en colère.

— Et moi, j'ai le droit de dire des bêtises, répliqua Sarah.

Salah réfléchit :

— Après tout, qui sait quand c'est une bêtise ou pas ? J'ai simplement le droit de te dire ce que je pense et toi tu as le droit de me dire ce que tu penses.

— Vive la liberté ! cria Sarah, surprise par sa propre réaction.

— Vive la liberté ! fit écho Salah. Et c'est seulement avec les discussions et les disputes que l'amitié s'arrose.

— Et ça s'arrose ! répéta gaiement Sarah.

— Qu'est-ce que ça veut dire ? demanda Salah.

— Quand on veut fêter quelque chose, on dit : «Ça s'arrose», et on boit du vin ou du champagne pour célébrer l'événement.

— Tu as déjà bu du vin, toi?

— J'en ai goûté à la Pâque juive, mais je n'aime pas ça. Et toi?

— Non, chez nous on n'en boit pas. Le Coran l'interdit... C'est drôle, on ne mange pas de porc, ni l'un, ni l'autre, mais pour le vin c'est pas pareil... Et si on arrosait ça? se hasarda Salah.

— Arroser quoi?

— Notre amitié, notre première dispute, notre première réconciliation, ça s'arrose, non?

— Oui, ça s'arrose, acquiesça volontiers Sarah.

— Je peux préparer du thé à la menthe. Papa a une Thermos qu'il emporte à son travail. Si on fait ça un dimanche, ça ira.

— Et moi je peux apporter une bouteille de Coca.

— Où est-ce qu'on va arroser ça? demanda Salah.

— Je ne sais pas, dit Sarah, un peu effrayée par l'évolution de la conversation.

— Si on se rencontrait dans le jardin de la bibliothèque, place de la Libération, proposa Salah, content de son idée. Je vais souvent à la bibliothèque maintenant. Hier, j'ai lu une partie de l'histoire juive. C'était intéressant mais pas toujours drôle.

— Tu étais à la bibliothèque de la place de la Libération hier ? À quelle heure ? J'y étais moi aussi.

— J'y ai passé l'après-midi.

— Moi aussi, dit Sarah étonnée.

— Ça alors !

— C'est vraiment bête…

— On aura plus de chance la prochaine fois… Qu'est-ce que tu penses de mercredi prochain ? Mais bien sûr, je ne pourrai pas apporter la Thermos, rappela Salah.

— Ça ne fait rien. Je prendrai le Coca et deux verres en plastique et on arrosera comme ça. (De toute façon, elle n'aimait pas le thé.)

— Je viendrai avec des gâteaux, alors, offrit Salah.

— Bon, d'accord. À quelle heure? demanda Sarah, regrettant déjà son élan.

— À une heure trente-sept et demie, répondit Salah.

— C'est difficile de se rappeler une heure trente-sept et demie.

— Pourquoi? demanda Salah. Bon alors, disons une heure trente-sept.

— D'accord, dit Sarah gravement.

— On se téléphone d'ici là de toute façon.

— Bon. À bientôt, conclut Sarah, désireuse de couper la conversation pour fouiller dans son armoire et trouver quelque chose à mettre.

— Tu es pressée? s'enquit Salah déçu.

— Comme toujours, mentit Sarah. Je n'ai pas encore fait mes devoirs, tu connais la chanson.

— Je te laisse, alors, déclara Salah, sérieux.

— Oui, il vaut mieux. On se téléphonera.

— À bientôt. Je t'embrasse, lâcha Salah sans réfléchir, et aussitôt il pensa: «Et voilà, un nouveau jour, une nouvelle gaffe.»

– Moi aussi, répondit Sarah, trop pudique pour prononcer les mots mêmes.

Sarah ne fit pas ses devoirs comme elle l'avait annoncé à Salah. Elle se lava les cheveux. Bien sûr, il restait une semaine avant le rendez-vous, mais c'était une sorte de répétition générale. Elle emprunta les bigoudis de sa mère. Que n'aurait-elle pas donné pour avoir quelques boucles qui dansent autour de sa tête! Mais non, ses cheveux étaient aussi raides que des cure-dents. Alors elle se couvrit le crâne de minuscules rouleaux: il lui fallut plus d'une heure pour les placer tous. Elle ressemblait à un extraterrestre.

Elle dormit comme ça, espérant se réveiller transformée en cygne, couronnée d'une auréole de cheveux digne d'une publicité pour shampooing.
Elle dormit mal parce que les bigoudis tiraient et démangeaient.

Elle se leva plus tôt que d'habitude, enleva un à un les rouleaux et se retrouva avec une tête bouclée, non pas de rêve mais de cauchemar. Des boucles partout, et tellement serrées qu'elle n'arriva pas à les coiffer! Quelle horreur! Elle se précipita pour essayer ses casquettes, ses chapeaux, ses foulards; non, elle ne pouvait vraiment pas arriver à l'école avec un chapeau de paille. Elle n'était pas populaire, mais au moins elle ne se faisait pas remarquer. Elle ne voulait pas provoquer les moqueries.

Dans un dernier acte de désespoir, elle s'empara du séchoir à cheveux de sa mère et se fit un brushing hystérique qui la laissa affreusement frisée. Elle se trouvait si moche dans la glace qu'elle en arriva à croire qu'elle était presque belle avant sa transformation en Boucle d'or brune.

Le dernier acte devint l'avant-dernier acte de désespoir. Elle mit sa tête sous l'eau; dirigeant la douche sur chaque boucle. Elle sécha ses cheveux tant bien que mal avec une serviette et partit pour l'école en courant, la tête encore humide. «Heureusement qu'il y a des répétitions générales», se dit-elle.

— Que tu es belle aujourd'hui, dit Maryse en regardant les cheveux décoiffés et à moitié mouillés de Sarah. Tu ressembles à une punk.

Sarah ne savait pas si elle voulait avoir l'air punk mais elle était ravie d'être belle aux yeux de Maryse, la fille la plus «mode» de la classe, pour une fois.

— Comment tu as fait?

«C'est simple, pensa Sarah, tu te laves les cheveux, tu mets soixante petits rouleaux, tu dors avec, tu enlèves, tu coiffes, tu décoiffes avec le séchoir et puis tu relaves et voilà.»

— Je les ai lavés, c'est tout.

Après l'école, Sarah se lança dans la deuxième étape de sa préparation. «Qu'est-ce que je vais me mettre?» se dit-elle en pensant qu'elle n'avait rien de chic pour s'habiller. Elle vida ses tiroirs, rejetant pull après pull et pantalon après jeans, après jupe. Elle essaya une robe et une autre, mais quoi qu'elle enfile, ses deux seins apparaissaient beaucoup trop à son avis. «S'il fait gris je pourrai mettre mon imperméable, ça se verra moins.» Elle choisit un jeans et un pull bleu marine, son uniforme de tous les jours parce qu'elle se sentait plus elle-même habillée ainsi. Elle s'étudia longuement et se trouva «passable», plutôt quelconque et ça lui convenait parfaitement.

Elle tâta l'étoile de David accrochée à une chaîne d'or autour de son cou. Depuis que mémé la lui avait offerte, elle ne l'avait jamais enlevée. Elle attendait depuis toujours que quelqu'un lui pose une question sur cette étoile. Elle avait lu quelque chose sur le symbolisme de cette étoile à six branches pour se préparer aux questions éventuelles. Mais on ne lui avait jamais rien demandé... Elle avait même préparé un dialogue: «Qu'est-ce que c'est que cette étoile? – C'est un signe de magie. Dans la chimie de l'époque, ce triangle était le symbole du feu et ce triangle le symbole de l'eau. L'étoile était fabriquée en réunissant les deux triangles. C'est un symbole très ancien, connu des Égyptiens, des hindous, des Chinois et des Péruviens. – Comment s'appelle-t-elle? – Elle est devenue le symbole des juifs quand les soldats de David l'ont placée sur leurs boucliers. C'est à ce moment-là qu'on a commencé à l'appeler l'étoile de David.» Malheureusement, son dialogue était toujours resté un monologue.

Sarah repensa à pépé. Il disait que Hitler voulait transformer l'étoile juive en un insigne de honte. Il avait forcé tous les juifs d'Europe à porter une étoile jaune. Pépé lui avait raconté comment les prisonniers étaient arrivés à Auschwitz. Ils faisaient la queue, une queue d'étoiles jaunes, pendant des heures. Au bout, les gardiens nazis leur ordonnaient d'aller soit à gauche, soit à droite. D'un côté, c'était la mort immédiate dans les chambres à gaz, de l'autre la mort lente et un petit espoir de survivre.

«Je ne quitterai jamais mon étoile juive.» Sarah songea à une histoire que sa mère lui avait racontée. Il y avait des juifs en Espagne. Pendant l'Inquisition on leur avait proposé deux solutions: mourir brûlés ou se convertir. Beaucoup de juifs qui avaient choisi la conversion continuaient à pratiquer leurs traditions juives en cachette. Par exemple, ils descendaient à la cave pour allumer les bougies tous les vendredis soir. Pendant des centaines d'années, ils ont transmis ces gestes de père en fils et de mère en fille. Petit à petit les enfants de ces juifs convertis qui persistaient à ne pas manger de porc, à jeûner le jour du Grand Pardon et à allumer les bougies, oublièrent pourquoi leurs ancêtres le faisaient. Ils s'appelaient les marranes.

Sarah se rappela qu'elle-même était un peu marrane. Elle n'avait jamais mangé de porc, même à la cantine, ni de pain à la Pâque juive, mais au fond elle ne savait pas trop pourquoi. Et elle ne se séparerait jamais de son étoile dorée.

Perdue dans ses réflexions, elle n'avait pas répondu tout de suite au téléphone. Il avait sonné au moins vingt-cinq fois avant qu'elle ne s'en rende compte.

— Allô.

— Sarah, je croyais que tu n'étais pas là. J'ai laissé sonner pendant une éternité.

— C'est vrai! dit Sarah.

— «La vérité est tellement lourde, que peu de gens arrivent à la porter», récita Salah du fond de sa mémoire.

— Nous, on prétend que la moitié d'une vérité est un mensonge entier.

— Tu es toujours d'accord pour mercredi? demanda Salah, anxieux.

— Oui, bien sûr, répondit Sarah timidement.

— Alors, j'apporte les gâteaux.

— Et moi une bouteille de Coca.

— Oh! à propos de Coca, bégaya Salah en prenant son courage à deux mains, ma maîtresse nous a assuré que le Coca fait des trous dans l'estomac.

Depuis, Salah n'avait plus envie d'en boire. Il ne voulait pas non plus insulter Sarah. Si elle apportait du Coca, il braverait ces trous dans l'estomac.

— Écoute, dit Sarah piquée au vif, je bois du Coca depuis des années et je n'ai pas de trous.

— Ça peut toujours venir.

— Bon, alors j'apporterai de la limonade.

— C'est mieux, soupira Salah. On ne sait jamais. Elle est très bien pour ça, la maîtresse, elle nous met en garde contre tous les dangers menaçant notre santé.

— Comme quoi ?

— Le café, le tabac, l'alcool, la pollution, les produits chimiques, le manque de sommeil, la télé, les colorants, les matières grasses, les...

— Tu peux continuer longtemps comme ça ?

— Ah oui! Elle en a des listes entières, la maîtresse.

— Est-ce qu'elle t'a averti que la gym est mauvaise pour la santé?

— Ben, c'est-à-dire, la cour de l'école est juste sur une rue où il y a beaucoup de circulation, alors il ne faut pas trop respirer par là.

— Ah bon? dit Sarah.

Elle ne savait pas trop quoi ajouter.

— Et qu'est-ce qu'elle pense du persil?

— Je vais lui demander, tiens! Comment ça va côté persil?

— Ça pousse bien. J'aime assez jardiner maintenant, grâce à toi.

— Pourquoi grâce à moi?

— Parce que c'est toi qui m'en as donné l'idée.

— Tiens, j'ai trouvé un poème arabe dans une BT sur le jardinage. Écoute: «On le voit le matin, travaillant avec joie parmi l'eau et les roses, sous l'ombre des arbres, coupant des branches, cueillant des roses, entouré d'oiseaux qui se posent, s'envolent, jouant avec les branches, et chantant une mélodie. Heureux jardinier! Il vit en paix! Sa vie est heureuse, et son effort utile.» C'est de Srarfi Kaddour, dit Salah, fier de sa récitation.

– Ça ne me ressemble pas mais c'est pas mal.

– Comment vais-je te reconnaître mercredi? demanda Salah.

Sarah pensa: «Quand tu verras une fille qui n'a pas encore onze ans avec des seins monumentaux et des cheveux raides comme des spaghetti avant la cuisson, halte, ce sera moi!»

– Je suis brune, assez grande. Je mettrai un pull bleu marine avec un jeans et... un imperméable. Et toi, tu es comment?

– Moi, proclama Salah, je ressemble à Alain Delon, sauf que j'ai les cheveux bouclés. Tu ne peux pas te tromper. Je serai là, tu me verras, tu sauras que c'est moi. «Pose la main sur ton cœur: il te dira. Et tu comprendras.»

– Oui, tu as raison. On se reconnaîtra. Cherche la fille avec la limonade.

– Cherche le garçon avec les gâteaux au miel et aux amandes.

– D'accord. À mercredi. (Elle voulait garder un peu de conversation pour le rendez-vous.)

– À mercredi, n'oublie pas! Une heure trente-sept.

– Je n'oublierai pas. Une heure trente-sept.

– Au revoir, dit Salah en souriant.

– Au revoir.

10

Salah répéta plusieurs fois à sa mère qu'elle n'avait pas fait de gâteaux au miel et aux amandes depuis longtemps.

— Je n'ai pas le temps, avec le déménagement et tout...

— Je peux peut-être essayer, moi? interrogea Salah.

Mais sa mère n'avait pas l'habitude de voir un garçon faire la cuisine, pourtant elle finit par céder. Ils étaient tellement réussis que Salah eut tout le mal du monde à en conserver quelques-uns pour son rendez-vous du mercredi. Il arriva quand même à en mettre cinq de côté. Il téléphona à Sarah chaque jour pour être sûr qu'elle était toujours d'accord.

Elle n'était pas très bavarde ces derniers temps.

Le mardi soir, il enveloppa les gâteaux. Il mit longtemps pour s'endormir, tellement il était excité à l'idée de rencontrer la fille de ses rêves, son amie du téléphone. Il avait peur aussi. Est-ce qu'elle serait déçue ? Est-ce qu'ils auraient autant de choses à se dire qu'au téléphone ? Dans sa vie, il n'était allé qu'une seule fois au restaurant. À la table voisine, il y avait un couple qui, durant toute la soirée, n'avait pas échangé deux mots. Quelle angoisse ! Il se tranquillisa finalement en songeant qu'ils n'auraient pas besoin de parler tout le temps. « On pourra rester assis côte à côte silencieusement en nous tenant la main. Les mains peuvent se parler aussi en langage de mains. On se regardera et ça se passera très bien », se dit Salah. « Très, très bien », essaya-t-il de se convaincre.

Le lendemain matin, le ciel n'était pas de son gris habituel : il était noir, menaçant. Vers onze heures, il commença à pleuvoir à torrents. Salah alla chercher un parapluie. Il trouva une antiquité, toute cassée, avec des trous.

— Tu ne vas quand même pas sortir? s'exclama sa mère.

— J'ai rendez-vous pour l'école, répondit Salah en baissant les yeux.

— Il faut être fou pour aller dehors par un orage pareil. Téléphone que tu ne peux pas.

Elle était vraiment devenue moderne.

— Tu as raison, maman, mais je vais attendre un peu. Ça va sûrement s'arrêter.

Sarah fut heureuse de voir le ciel noir.

«Comme ça je mets mon imper sans problème.» La limonade était au frais. Elle avait acheté des verres en carton avec les petites serviettes assorties. Elle se lava la tête et après la débâcle de la fois précédente elle n'était pas mécontente du résultat.

Quand la pluie commença à tomber, elle se mit à la fenêtre pour guetter le moment où ça s'arrêterait. Elle attendit ainsi plus d'une heure. Elle adorait regarder la pluie tomber et se sentir bien au chaud à l'intérieur. N'empêche, c'était le cas de le dire, ça tombait mal. Pourquoi aujourd'hui? Après une semaine de préparation, elle s'était convaincue que c'était une bonne chose de rencontrer Salah. Elle était confiante. Elle était prête à se montrer. Que faire maintenant?

À midi et demi, Salah lui téléphona.

– Je crois que ce n'est pas le jour idéal pour notre pique-nique, dit-il.

– C'est bizarre, reprit Sarah, j'ai eu la même intuition.

– Qu'est-ce qu'on fait? demanda Salah.

– Comme pour les matches: annuler pour cause de mauvais temps. Et puis rembourser...

– Alors, on remet à mercredi prochain.

– S'il ne neige pas.

– Ou s'il n'y a pas de tremblement de terre, renchérit Salah.

– Non, la semaine prochaine tout ira bien.

Sarah, qui n'était jamais malade, sauf quand elle avait eu la varicelle, s'étonna d'avoir mal à la gorge et mal aux oreilles en même temps. Vraiment mal. Elle ne se plaignait pas pour un oui ou pour un non, mais cette fois-ci elle pouvait à peine parler. Elle avait mal à la tête et elle compta les minutes jusqu'à la fin de la classe pour rentrer chez elle et se mettre au lit. Elle prit sa température et quand elle lut 40° sur le thermomètre, elle téléphona immédiatement au médecin de la famille. Sa secrétaire nota l'adresse en disant que le docteur passerait dans la soirée après ses consultations.

Heureusement que la mère de Sarah était rentrée avant l'arrivée du médecin, parce que Sarah n'aurait pas eu la force de descendre ouvrir la porte. Le docteur regarda sa gorge et ses oreilles. Il n'eut pas besoin de chercher plus loin.

— C'est une belle angine blanche, déclara-t-il et il prescrivit neuf jours de lit.

Quand Salah téléphona, c'est la mère de Sarah qui lui donna des nouvelles pendant que sa fille dormait.

Salah appela chaque jour pour prendre des nouvelles. Au bout de quelques jours Sarah put de nouveau parler au téléphone.

– C'est gentil d'avoir suivi l'évolution de ma maladie tous les jours.

– C'est normal. Ce n'est pas contagieux par téléphone. Ta mère m'a demandé de ne pas parler longtemps.

– Je suis un peu faible encore, avec les antibiotiques que j'ai pris.

«Aïe, aïe, aïe, pensa Salah, la maîtresse n'aime vraiment pas les antibiotiques.»

Il la rassura:

– Encore quelques jours et tu seras en pleine forme.

– Oui, je retourne à l'école la semaine prochaine. Quand je pense à tout ce que j'ai manqué! Heureusement que je suis tombée malade au CM2 et pas en sixième!

— Ne t'inquiète pas. Au fait Sarah, dans deux semaines, quand tu seras guérie, on reporte notre rendez-vous?

— Oui, répondit Sarah faiblement.

— Alors repose-toi et reprends des forces.

— Merci.

— À bientôt.

— Salut.

Deux semaines plus tard, Sarah était complètement rétablie. C'était tellement rare de voir le soleil dans ce pays que les gens ne savaient pas où se mettre par une telle journée. Sarah se sentait éblouie, mal à l'aise avec le soleil.

Elle s'habilla en jeans avec son bon vieux pull bleu marine. «Tant pis pour l'imperméable. Je porterai ma veste.» Avec cette chaleur, elle se demanda si elle ne ferait pas mieux de se mettre en maillot de bain!

Elle glissa la limonade, les verres en carton et les serviettes dans un sac en plastique et partit pour le rendez-vous. Ses jambes étaient en marmelade, ses mains tremblaient, son cœur lui donnait des coups de pied et le soleil tapait trop fort.

Elle approcha du jardin public de la place de la Libération comme si elle allait à une exécution. «Comment vais-je le reconnaître? Elle se rappela ses mots: "Pose la main sur ton cœur; il te dira. Et tu comprendras."»

À une heure trente-cinq, un garçon qui pouvait être Salah attendait déjà en plein milieu du jardin. «Il a l'air très sympa. Il est très sympa.»

Salah la vit aussitôt qu'elle apparut. Il voulut courir vers elle mais il se trouva comme paralysé, collé à sa place au milieu du cercle de béton du jardin.

Ils se regardèrent un instant, bien dans les yeux. Et puis Sarah posa sa main sur son cœur et l'écouta bien. Elle espérait que Salah comprendrait ce geste.

Puis elle fit volte-face. Et elle se mit à courir. «Je lui téléphonerai tout à l'heure. Je lui expliquerai que j'avais trop le trac, que je ne suis pas prête et qu'on peut encore attendre un peu pour se rencontrer. Je lui dirai que je l'ai trouvé très beau de loin et que je regrette de ne pas lui avoir laissé la limonade.»

Salah pensa que le soleil l'avait rendue folle. Il lui téléphonerait pour savoir ce qui lui était passé par la tête. Ils se rencontreraient la semaine prochaine.

Salah s'assit sur le banc. Il était quand même déçu et triste en fixant ses pieds. Il l'avait vue mettre la main sur le cœur. Que lui avait dit son cœur? De courir comme un voleur? De le laisser tomber comme une patate pourrie? De ne pas s'excuser? De ne pas avoir la courtoisie de dire: «Ce n'est pas possible entre toi et moi.»

Le monde avait viré du rose au noir. Il mordit dans un gâteau au miel et aux amandes pour essayer d'adoucir la vie. Mais parfois, même le sucre a un goût acide.

— Tu ne partages pas tes gâteaux? dit Sarah qui avait de nouveau fait volte-face pour revenir et s'asseoir à côté de lui sur le banc.

Elle lui versa de la limonade.

— Je pensais que tu m'avais vu et que tu n'achetais pas!

— Moi aussi, mais tu vois, je pensais mettre ma main sur le cœur, mais j'avais en fait mis la main sur la tête. Après le cœur m'a appelée en se mettant à crier: «Vas-y! Retourne!»

— Si seulement les gens écoutaient leur cœur! Salah coupa le gâteau en deux moitiés et en tendit une à Sarah.

— Vive le cœur! dit Sarah.

— Vive l'amitié! dit Salah en trinquant avec Sarah.

Ils mangèrent les gâteaux jusqu'à la dernière miette.

Du même auteur à *l'école des loisirs*

Collection NEUF
Alibi
C'est pas juste
Europe alibi
Lettres d'amour de 0 à 10
Privée de bonbecs
La sixième
Toqués de cuisine
Le vampire du CDI

Collection MÉDIUM
L'Amerloque
Barbamour
Margot Mégalo
La première fois que j'ai eu seize ans
Terminale ! Tout le monde descend
Les treize tares de Théodore
Trois jours sans